講談社文庫

羊をめぐる冒険(下)

村上春樹

講談社

目次

羊をめぐる冒険（下）

第七章　いるかホテルの冒険

1　映画館で移動が完成される。いるかホテルへ

飛行機に乗っているあいだ、彼女は窓際に座ってずっと眼下の風景を眺めていた。僕はその隣りでずっと「シャーロック・ホームズの事件簿」を読んでいた。どこまで行っても空には雲ひとつなく、地上には終始飛行機の影が映っていた。正確に言えば我々は飛行機に乗っているのだから、その山野を移ろう飛行機の影の中には我々の影も含まれているはずだった。だとすれば、我々もまた地上に焼きつけられているのだ。

「私はあの人好きよ」と彼女は紙コップのオレンジ・ジュースを飲みながら言った。

「あの人？」

「運転手よ」

「うん」と僕は言った。「僕も好きだよ」

「それにいわしっていい名前だわ」

「そうだね。たしかにいい名前だ。猫も僕に飼われているより、あそこにいた方が幸福かもしれないな」

「猫じゃなくていわしよ」

「そうだ。いわしだ」

「どうしてずっと猫に名前をつけてあげなかったの?」

「どうしてかな?」と僕は言った。そして羊の紋章入りのライターで煙草に火を点《つ》けた。「きっと名前というものが好きじゃないんだろうね。僕は僕で、君は君で、我々は我々で、彼らは彼らで、それでいいんじゃないかって気がするんだ」

「ふうん」と彼女は言った。「でも、我々ってことばは好きよ。なんだか氷河時代みたいな雰囲気がしない?」

「氷河時代?」

「たとえば、我々は南に移るべし、とか、我々はマンモスを獲るべし、とかね」

「なるほど」と僕は言った。

千歳空港で荷物を受け取って外に出ると空気は予想していたより冷やかだった。僕は首に巻いていたダンガリのシャツをTシャツの上に着こみ、彼女はシャツの上から毛糸のベストを着た。東京よりちょうど一ヵ月ぶん早く秋が地上に腰を据えていた。

「我々は氷河時代に巡り会うべきじゃなかったかしら」と札幌に向うバスの中で彼女は言った。「あなたがマンモスを獲り、私が子供を育てる」

「素敵みたいだな」と僕は言った。

それから彼女は眠り、僕はバスの窓から道路の両側に延々とつづく深い森を眺めていた。


我々は札幌に着くと喫茶店に入ってコーヒーを飲んだ。

「まず基本方針を決めよう」と僕は言った。「手わけしてあたるんだ。つまり僕は写真の風景をあたってみる。君は羊についてあたってみる。これで時間が節約できる」

「合理的みたいね」

「うまくいけばね」と僕は言った。「とにかく君には北海道にある主だった羊牧場の分布と羊の種類を調べてほしいんだ。図書館か道庁に行けばわかると思う」

「図書館は好きよ」と彼女は言った。

「良かった」と僕。

「今からかかるの？」

僕は時計を見た。三時半だった。「いや、もう遅いから明日にしよう。今日はのんびりしてから泊る場所を決め、食事をして風呂に入って寝る」

「映画が観《み》たいな」と彼女は言った。

「映画？」

「だってせっかく飛行機で時間を節約したんだもの」

「そりゃそうだ」と僕は言った。そして我々は最初に目についた映画館に入った。

我々が観たのは犯罪ものとオカルトものの二本立てで、客席はがらがらにすいていた。これほどすいた映画館に入ったのも久し振りだった。僕は暇つぶしに観客の数を数えてみた。我々を入れて八人だった。映画の登場人物のほうがずっと多い。

もっとも映画の方も映画の方で相当にひどい代物だった。ＭＧＭのライオンが吠え終ってメイン・タイトルがスクリーンに浮かびあがった瞬間にもう後ろを向いて席を立ちたくなるような映画だ。そういう映画が存在するのだ。

それでも彼女は真剣なまなざしで食い入るようにスクリーンを睨《にら》んでいた。話しかけるすきもなかった。それで僕もあきらめて映画を観ることにした。

一本目はオカルト映画だった。悪魔が町を支配する映画だ。悪魔は教会のしみったれた地下室に住んで、腺病質の牧師を手先に使っていた。悪魔がどうしてその町を支配する気になったのか、僕にはよくわからなかった。なぜならそれは玉蜀黍畑《とうもろこし》に囲まれた本当にみすぼらしい町だったからだ。

しかし悪魔はその町にひどく執着していて、一人の少女だけが自分の支配下に入らないことに対して腹を立てていた。悪魔は腹を立てるとぐしゃぐしゃとした緑色のフルーツ・ゼリーのような体を震わせて怒った。その怒り方にはどことなく微笑《ほほえ》ましいところがあった。

我々の前方の席では中年の男が霧笛《むてき》のようなもの哀しいいびきをかきつづけていた。右手の隅ではヘビー・ペッティングが進行していた。後方で誰かが巨大な音のおならをした。中年男のいびきが一瞬止まるくらいの巨大なおならだった。女子高校生の二人づれがくすくす笑った。

僕は反射的にいわしのことを思い出した。いわしのことを思い出したところで、やっと僕は自分が東京を離れて札幌にいることを思い出した。逆に言えば、誰かのおならの音を聞くまで僕は自分が東京を遠く離れたことを実感できなかったわけだ。

不思議なものだ。

そんなことを考えているうちに僕は眠ってしまった。夢の中に緑色の悪魔が出てきた。

夢の中の悪魔は少しも微笑ましくはなかった。闇の中で黙って僕をみつめているだけだった。

映画が終って場内が明るくなったところで僕も目覚めた。観客は申しあわせたように順番にあくびをした。僕は売店でアイスクリームをふたつ買ってきて彼女と食べた。去年の夏から売れ残っていたような固いアイスクリームだった。

「ずっと寝てたの？」

「うん」と僕は言った。「面白かった？」

「すごく面白かったわよ。最後に町が爆発しちゃうの」

「へえ」

映画館はいやにしんとしていた。というより僕のまわりだけがいやにしんとしていた。奇妙な気分だった。

「ねえ」と彼女が言った。「なんだか今ごろになって体が移動しているような気がしない？」

そう言われてみれば実にそのとおりだった。

彼女は僕の手を握った。「ずっとこうしていて。心配なのよ」

「うん」

「そうしないと、どこかべつのところに移動してしまいそうなの。どこかわけのわからないところに」

場内が暗くなって予告編が始まったところで、僕は彼女の髪をかきわけて耳に口づけした。

「大丈夫だよ。心配しなくてもいい」

「あなたの言ったとおりね」と彼女は小声で言った。「やっぱり名前のついた乗りものに乗るべきだったのよ」

二本めの映画が始まって終るまでの一時間半ほどのあいだ、我々は暗闇の中でそんな静かな移動をつづけた。彼女は僕の肩にずっと頬を寄せていた。肩が彼女の息であたたかく湿った。

映画館を出てから、彼女の肩を抱いて夕暮の街を散歩した。僕と彼女は以前より親密になれたような気がした。通りを行く人々のざわめきは心地よく、空には淡い星が光っていた。

「私たち、本当に正しい街にいるの？」と彼女が訊ねた。

僕は空を見上げた。北極星は正しい位置にあった。しかしどことなく偽物《にせもの》の北極星みたいにも見えた。大きすぎるし、明るすぎる。

「どうだろうね」と僕は言った。

「何かがずれているような気がするの」

「はじめての街というのはそういうものなんだよ。まだうまく体がなじめないんだ」

「そのうちになじめるかしら？」

「たぶん二、三日でなじめるようになるよ」と僕は言った。

我々は歩き疲れると目についたレストランに入り、生ビールを二杯ずつ飲み、じゃが芋と鮭の料理を食べた。でたらめにとびこんだわりには料理はなかなかのものだった。ビールは実に美味《おい》かったし、ホワイト・ソースはさっぱりとしてしかもこくがあった。

「さて」と僕はコーヒーを飲みながら言った。「そろそろ泊まる場所を決めなくちゃね」

「泊まる場所についてはイメージができてるの」と彼女は言った。

「どんな？」

「とにかくホテルの名前を順番に読みあげてみて」

僕は無愛想なウェイターに頼んで職業別電話帳を持ってきてもらい、「旅館、ホテル」というページを片端から読みあげていった。四十ばかりつづけて読みあげたところで彼女がストップをかけた。

「それがいいわ」

「それ？」

「今最後に読んだホテルよ」

「ドルフィン・ホテル」と僕は読んだ。

「どういう意味」

「いるかホテル」

「そこに泊まることにするわ」

「聞いたことがないな」

「でもそれ以外に泊まるべきホテルはないような気がするの」

僕は礼を言って電話帳をウェイターに返し、いるかホテルに電話をかけてみた。はっきりしない声の男が電話にでて、ダブルかシングルの部屋なら空いていると言った。ダブルとシングル以外にどんな部屋があるのか、と僕は念のために訊ねてみた。ダブルとシングル以外にはもともと部屋はなかった。少し頭が混乱したが、ともかくダブルを予約し、料金を訊ねてみた。料金は僕が予想していたより四十パーセントも安かった。

いるかホテルは我々の入った映画館から西にむけて通りを三本進み、南に一本下がったところにあった。ホテルは小さく、無個性だった。これほど個性がないホテルもまたとはあるまいと思えるくらい無個性なホテルだった。その無個性さにはある種の形而上的な雰囲気さえ漂っていた。ネオンもなく大きな看板もなく、まともな玄関さえなかった。レストランの従業員出入口みたいな愛想のないガラス戸のわきに「ドルフィン・ホテル」と刻まれた銅板がはめこまれているだけだ。いるかの絵さえ描かれていなかった。

建物は五階建てだったが、それはまるで大型のマッチ箱を縦に置いたみたいにのっぺりとしていた。近くに寄ってよく見ればそれほど古びているというわけでもないのだが、それでも人目をひくほどには十分古びていた。きっと建った時から既に古びていたのだろう。

これがいるかホテルだった。

しかし彼女は一目でいるかホテルが気に入ったようだった。

「なかなか良さそうなホテルじゃない」と彼女は言った。

「良さそうなホテル?」と僕は聞きかえした。

「こぢんまりとしていて、余計なものもなさそうだし」

「余計なもの」と僕は言った。「君の言う余計なものというのはしみのついてないシーツとか、水が洩らない洗面台とか、調節のきくエアコンとか、やわらかいトイレット・ペーパーとか、新しい石鹼とか、日焼けしてないカーテンとか、そういうもののことなんだろうね」

「あなたは物事の暗い面を見すぎるのよ」と彼女は笑って言った。「とにかく、私たちは観光旅行に来たわけじゃないんだもの」

ドアを開けると、中には思ったより広いロビーがあった。ロビーのまんなかには応接セットが一組と大型のカラー・テレビが一台置いてあった。つけっぱなしになったテレビはクイズ番組を映し出していた。人影はない。

ドアの両脇には大きな観葉植物の鉢が並んでいた。葉が半分変色している。僕はドアを閉め、その二つの鉢のあいだに立ってしばらくロビーを眺めた。よく眺めてみるとロビーはそれほど広くはなかった。広く見えたのは家具が極端に少ないせいだった。応接セットと柱時計と大きな姿見、それ以外には何もない。

僕は壁によって時計と鏡を眺めてみた。どちらもがどこかからの寄贈品だった。時計は七分も狂っていて、鏡に映った僕の首は僕の胴から少しずれていた。

応接セットもホテルそのものと同じくらい古びていた。布地のオレンジ色はかなり奇妙なオレンジ色だった。たっぷり日焼けさせたうえに一週間雨ざらしにして、それから地下室に放り込んでわざわざかびをはやしたといったタイプのオレンジ色だ。テクニカラーのごく初期の時代にこういう色をみかけたことがある。

近づいてみると応接セットの長椅子には頭の禿げかけた中年男が乾燥魚みたいな格好で寝転んでいた。彼は最初死んでいるように見えたが、実際は眠っているだけだった。鼻が時々ぴくぴくと震えた。鼻のつけねには眼鏡のあとがついていたが、眼鏡はどこにもなかった。とするとテレビを見ているうちについ眠り込んだというわけでもなさそうだ。わけがわからなかった。

僕はフロントに立ってカウンターの中をのぞきこんでみた。誰もいなかった。彼女がベルを鳴らした。チーンという音ががらんとしたロビーに響きわたった。

三十秒待ったが、何の反応もなかった。長椅子の中年男も目を覚まさなかった。

彼女はもう一度ベルを鳴らした。

長椅子の上で中年男がうなった。どことなく自分を責めているようなうなり方だった。

それから男は目を開けてぼんやりと我々の姿を見た。

彼女はたたみかけるように三度めのベルを鳴らした。

男はとびあがるように長椅子から起きるとロビーを横切り、僕のわきをすり抜けてカウンターの中に入った。男はフロント係だった。

「どうも申しわけありません」と男は言った。「本当に申しわけありません。お待ちしているうちについ眠り込んでしまいまして」

「起こして申しわけない」と僕は言った。

「いえいえ、そんな」とフロント係は言った。そして僕に宿泊カードとボールペンを差し出した。彼の左手の小指と中指は第二関節から先がなかった。

僕はカードに一度本名を書いてから思いなおしてそれを丸めてポケットにつっこみ、新しいカードに出鱈目《でたらめ》な名前と出鱈目な住所を書き込んだ。平凡な住所と平凡な名前だったが、とっさの思いつきにしては悪くはない名前と住所だった。職業は不動産業としておいた。

フロント係は電話の横に置いてあったセルロイドぶちのぶ厚い眼鏡をかけて僕の宿泊カードを注意深く読んだ。

「東京都杉並区……二十九歳、不動産業」

僕はポケットからティッシュ・ペーパーを出して指についたボールペンのインクを拭っ

た。

「今回は御商用で？」とフロント係が訊ねた。

「うん、まあ」と僕は言った。

「何泊なさいますか？」

「一ヵ月」と僕は言った。

「一ヵ月？」彼は真白な画用紙を眺める時のような目つきで僕の顔を眺めた。「一ヵ月ずっと滞在なさるわけですか？」

「まずいかな？」

「その、まずくはないんですが、一応三日ごとに精算していただくことになっておりますもので」

僕は鞄を床に置き、ポケットから封筒を出してぱりぱりの一万円札を二十枚数え、それをカウンターの上に置いた。

「足りなくなったらまた入れるから」と僕は言った。

フロント係は左手の三本の指で札を持ち、右手の指で枚数を二度数えた。そして領収書に金額を書き込んで僕に渡してくれた。「もしお部屋について何か御希望がございましたらおっしゃって下さい」

「できればなるべくエレベーターから遠い角部屋がいいな」

フロント係は僕に背中を向けてキー・ボードを睨み、ずいぶん迷ってから４０６という番号のついた鍵を取った。鍵は殆んど全部キー・ボードの上に揃っていた。いるかホテルは経営的に成功したホテルとは言い難いようである。

いるかホテルにはボーイというものが存在しなかったので、我々は自分で荷物を持ってエレベーターに乗らねばならなかった。彼女が言うように、このホテルには余分なものは何ひとつないのだ。エレベーターは肺病を病んだ大型犬みたいにかたかたと揺れた。

「長く泊まるにはこれくらい小さくてさっぱりとしたホテルの方がいいのよ」と彼女は言った。

小さくてさっぱりしたホテル、というのはたしかに悪くない表現だった。「アンアン」の旅行ページにでも出てきそうな文句だ。

長い滞在ならなんといっても気のおけない、小さくてさっぱりとしたホテルがいちばんです。

しかし小さくてさっぱりしたホテルの部屋に入って僕が最初にやらねばならなかったのは、窓枠を歩いていた小さなあぶら虫をスリッパでひっぱたき、ベッドの足もとに落ちていた二本の陰毛をつまみあげて屑かごに捨てることだった。北海道であぶら虫を目にしたのははじめてだった。彼女はそのあいだお湯の温度を調節しながら風呂の用意をしていた。とにかく巨大な音がする蛇口だった。

「もっとましなホテルに泊まってもいいんだぜ」と僕は洗面所のドアを開けて彼女にどなった。

「金ならいくらでもあるんだから」

「お金の問題じゃないのよ。我々の羊捜しはここから始まるの。とにかくここじゃなくちゃいけないのよ」

僕はベッドに寝転んで煙草を一本吸い、テレビのスイッチをつけて、チャンネルをひとわたりまわしてから消した。テレビの映り具合だけはまともだった。お湯の音が止まり、彼女の服がドアから放り出され、シャワーの音が聞こえてきた。

窓のカーテンを開けると、通りの向い側にはいるかホテルと同じ程度にわけのわからないこまごまとしたビルが並んでいるのが見えた。どれもこれもみんな灰でもかぶったように薄汚れ、眺めているだけで小便の匂いがした。もう九時に近いというのに、幾つかの窓には灯りがついていて、その中では人々が忙しそうに働いていた。どんな仕事をしているのかはわからないが、とにかくあまり楽しそうには見えなかった。もっとも彼らの目から見れば僕だってそれほど楽しそうには見えないだろう。

僕はカーテンを閉めてベッドに戻り、アスファルト道路みたいに固く糊づけされたシーツに寝転んで別れた妻について考え、彼女が一緒に暮している男について考えてみた。相手の男についていえば僕は彼のことをかなりよく知っていた。なにしろ、そもそもは僕の友人だったのだから、よく知らないわけがないのだ。彼は二十七歳のあまり有名ではないジャズ・ギタリストで、あまり有名ではないジャズ・ギタリストにしては比較的まともな男だった。性格もそれほど悪くない。スタイルがないだけだ。ある年にはケニー・バレルとB・B・キングのあいだを彷徨《さまよ》い、ある年にはラリー・コリエルとジム・ホールのあいだを彷徨う。

彼女がどうして僕のあとにそんな男を選んだのか、僕にはよくわからなかった。たしかに一人一人の人間の中には傾向というものが存在するのだろう。彼が僕より優れている点はギターが弾けることだけであり、僕が彼より優れている点は皿洗いができることだけだった。たいていのギタリストは皿を洗わない。指に怪我をすると存在理由がなくなってしまうからだ。

それから僕は彼女とのセックスのことを考えた。そして暇つぶしに四年間の結婚生活中に行ったセックスの回数を計算してみた。しかし結局のところ、それは不正確な数字だったし、不正確な数字にたいした意味があるとは思えなかった。おそらく僕は日記をつけておくべきだったのだ。少くとも手帳にしるしだけでもつけておくべきだったのだ。そうすれば僕は四年間に僕が行ったセックスの回数を正確に把握できたのだ。僕に必要なものは正確に数字であらわせるリアリティーなのだ。

別れた僕の妻はセックスの正確な記録を所有していた。日記をつけていたわけではない。彼女は初潮のあった年から大学ノートに実に正確な生理の記録をつけていて、そこには参考資料としてセックスの記録も含まれていた。大学ノートは全部で八冊あり、彼女はそれを大事な手紙や写真と一緒に鍵のかかる引出しにしまいこんでいた。彼女は誰にもそれを見せなかった。彼女がセックスについてどの程度のことを書いていたのか、僕にはわからない。彼女と別れてしまった今となっては、それは永遠にわからない。

「もし私が死んだら」と彼女はよく言ったものだった。「あのノートは燃やして。石油をたっぷりかけて完全に焼いてから、土に埋めて。一字でも見たら絶対に許さないわよ」

「だって僕は君とずっと寝てるんだぜ。体の隅から隅まで大抵のことは知ってる。今更どうして恥ずかしがるんだ？」

「細胞は一ヵ月ごとに入れかわるのよ。こうしている今でもね」彼女はほっそりとした手の甲を僕の目の前にさしだした。「あなたが知ってると思ってるものの殆んどは私についてのただの記憶にすぎないのよ」

彼女は——離婚する前の一ヵ月ばかりをのぞけば——そのようにきちんとした考え方をする女だった。彼女は人生におけるリアリティーというものを実に正確に把握していた。つまり一度閉めたドアは二度と開くことはできないし、かといって何もかも開けっ放しにしておくことはできないという原則だ。

僕が今彼女について知っているのは、彼女についてのただの記憶にすぎない。そしてその記憶はうらぶれた細胞みたいにどんどん遠ざかっていくのだ。そして僕には彼女と行ったセックスの正確な回数さえわからない。

2　羊博士登場

翌朝の八時に目を覚ますと、我々は服を着こんでエレベーターで下に降り、近所の喫茶店に入ってモーニング・サービスを食べた。いるかホテルにはレストランも喫茶室もないのだ。

「昨日も言ったように、我々は手わけして行動するんだ」と言って僕は羊の写真のコピーを彼女に渡した。「僕はこの写真の背景に写っている山をてがかりに場所を探してみる。君は羊を飼っている牧場を中心に探してほしい。やり方はわかるね？　どんな小さなヒントでもいいんだ。盲滅法に北海道をうろつきまわるよりはまだましだからね」

「大丈夫よ、まかせておいて」

「じゃあ夕方ホテルの部屋で会おう」

「あまり心配しちゃ駄目よ」と彼女は言ってサングラスをかけた。「きっと簡単にみつかるから」

「だといいけれどね」と僕は言った。

しかしもちろん物事は簡単には運ばなかった。僕は道庁の観光課に行き、様々な観光案内所と観光会社を巡り、登山協会を訪ね、およそ観光と山に縁がありそうな場所は全部まわった。しかし誰一人として写真に写った山に見覚えのあるものはなかった。

「とても平凡な形をした山だしね」と彼らは言った。「それに写真に写っているのはそのまた一部ときてるからさ」

僕が丸一日歩きまわって得た結論といえばただそれだけだった。つまりよほど特徴のある山でない限り、一部分を見ただけでその名前をあてるのはむずかしいということだ。

僕は途中で書店に入って北海道全図と「北海道の山」という本を買い、喫茶店に入ってジンジャー・エールを二本飲みながら読んでみた。北海道には信じられぬほど多くの山があり、そのどれもが似たような色と似たような形をしていた。鼠の写真に写った山と本に出ている写真の山をひとつずつ見比べてみたが、十分ばかりで頭が痛くなった。それにだいいち本の写真にとりあげられている山の数は北海道の山全体から見ればほんの一部なのだ。それに同じひとつの山でも見る角度を変えるだけでがらりと印象が違ってしまうこともわかった。「山は生きています」と筆者はその本の序文に書いていた。「山はそれを見る角度、季節、時刻、あるいは見るものの心持ちひとつでがらりとその姿を変えてしまうのです。従って我々は常に山の一部分、ほんのひとかけらしか把握してはいないのだという認識を持つことが肝要でありましょう」

やれやれ、と僕は声に出して言った。それからもう一度無駄であることが認識された作業にとりかかり、五時の鐘を聞くと公園のベンチに座って鳩と一緒に玉蜀黍《とうもろこし》をかじった。

彼女の方の情報収集作業の質は僕のよりは少しはましだったが、徒労に終ったという点では同じようなものだった。我々はいるかホテルの裏手にある小料理屋でささやかな夕食をとりながら今日一日のお互いの身の上話を交換しあった。

「道庁の畜産課では殆んど何もわからなかったわ」と彼女は言った。「つまり羊はもう見放された動物なのね。羊を飼っても採算があわないのよ。少くとも大量飼育・放牧という形態ではね」

「じゃあ少いぶんだけみつけやすいとも言える」

「それがそうでもないのよ。緬羊《めんよう》飼育が盛んであれば独自の組合活動もあるし、それなりのきちんとしたルートが役所でも把握できるんだけど、今のような状況では中小の緬羊飼育の実態はまるで把《つか》めないの。みんなが猫や犬を飼うみたいに勝手に少しずつ羊を飼っているようなものだからね。一応わかっているだけの緬羊業者の住所は三十ばかり控えてきたけれど、これは四年前の資料だし、四年のあいだには結構移動があるらしいわ。日本の農業政策は三年ごとに猫の目みたいに変化しているから」

「やれやれ」と僕は一人でビールを飲みながらため息をついた。「どうも手詰りのようだね。北海道には百以上の似たような山があるし、緬羊業者の実態はまるでわからないときてる」

「まだ一日しか経っていないじゃない。全ては始まったばかりよ」

「君の耳はもうメッセージをキャッチしないのかい？」

「メッセージは当分来ないわ」彼女はそう言って魚の煮物をつまみ、味噌汁を飲んだ。「なんとなく自分でもそれがわかるのよ。つまりメッセージがやってくるのは私が何かで迷っている時とか、精神的飢餓感を感じている時に限られていたし、今はそうじゃないから」

「本当に溺れかかってる時にしかロープは来ないってこと？」

「そう。私は今あなたとこうしていることで充ち足りているし、充ち足りている時にはメッセージはやって来ないのよ。だから私たちは自分の手で羊をみつけだすしかないの」

「よくわからないな」と僕は言った。「現実的に我々は追いつめられているんだよ。もし羊がみつからなければ、我々はとても困った立場に追い込まれることになる。どんな困った立場かは僕にもわからないけれど、連中が我々を困った立場に追い込むと言えば、それは本当に困った立場のことなんだ。連中はプロだからね。たとえ先生が死んだとしても組織は残るし、その組織は日本国中に下水道みたいに張りめぐらされていて、それが我々を困った立場に追い込もうとしてるんだ。馬鹿馬鹿しい話だとは思うけれど、そういうことになっちゃったんだ」

「そういうのって、テレビの『インベーダー』みたいじゃないの？」

「馬鹿馬鹿しいという点ではね。とにかく我々は巻き込まれてしまったんだし、我々と僕が言うのは僕と君のことなんだ。はじめは僕だけだったけど、途中から君が入りこんできた。これでも溺れかかってるとは言えないのかな？」

「あら、こういうのって私好きよ。知らない人と寝たり、耳を出してフラッシュをたかれたり、人名辞典の校正やったりしているよりはずっといいわよ。生活というのはこういうものよ」

「つまり」と僕は言った。「君は溺れかかってはいないし、ロープも来ない」

「そういうことね。私たちは自分たちの手で羊を探すの。きっと私もあなたもそれほど捨てたものじゃないわよ」

そうかもしれない。

我々はホテルに帰って性交した。性交ということばが僕はとても好きだ。それは何かしら限定された形の可能性を連想させてくれる。

　しかし札幌における我々の三日めと四日めも無為のうちに過ぎ去った。我々は八時に起きてモーニング・サービスを食べ、分かれて一日を過し、夕方になると夕食をとりながら情報を交換し、ホテルに帰って性交して眠った。僕は古いテニス・シューズを捨てて新しいスニーカーを買い、何百人もの人間に写真を見せてまわった。彼女は役所や図書館の資料をもとに緬羊飼育業者の長いリストを作りあげ、片端から電話をかけた。しかし収穫はゼロだった。誰も山に見覚えはなかったし、どの緬羊飼育業者も背中に星印のついた羊のことは知らなかった。一人の老人は戦争前に南樺太でこんな山を見た覚えがあるといったが、鼠が樺太まで行ったとは僕には思えなかった。樺太から東京まで速達が出せるわけがないのだ。

　そして五日めと六日めが過ぎ去り、十月がどっかりと街に腰を下ろした。日差しこそ暖かったが風は心もち冷たくなり、夕方になると僕は薄い綿のウィンド・ブレーカーを着こんだ。札幌の街は広く、うんざりするほど直線的だった。僕はそれまで直線だけで編成された街を歩きまわることがどれほど人を磨耗《まもう》させていくか知らなかったのだ。

僕は確実に磨耗していった。四日めには東西南北の感覚が消滅した。東の反対が南であるような気がし始めたので、僕は文房具屋で磁石を買った。磁石を手に歩きまわっていると、街はどんどん非現実的な存在へと化していった。建物は撮影所のかき割りのように見え始め、道を行く人々はボール紙をくりぬいたように平面的に見え始めた。太陽はのっぺりとした大地の片方から上り、砲丸のように天空に弧を描いて片方に沈んだ。

僕は一日に七杯もコーヒーを飲み、一時間おきに小便をした。そして少しずつ食欲を失くしていった。

「新聞に広告を出してみれば？」と彼女が提案した。「あなたのお友だちに連絡してほしいって」

「悪くないな」と僕は言った。効果があるかどうかはべつにして、何もしないよりはずっとましだ。

僕は四つの新聞社をまわって翌朝の朝刊に三行の広告を入れてもらった。

鼠、連絡を乞う
至急!!
ドルフィン・ホテル406

そしてあとの二日、僕はホテルの部屋で電話を待った。電話はその日のうちに三本かかってきた。一本は「鼠とは何を意味するのか?」という一市民からの問いあわせだった。

「友だちのあだ名です」と僕は答えた。

彼は満足して電話を切った。

もう一本はからかいの電話だった。

「ちゅうちゅう」と電話の相手は言った。「ちゅうちゅう」

僕は電話を切った。まったく都会というのは奇妙なところだ。

あと一本はおそろしく細い声の女からの電話だった。

「私はみんなに鼠って呼ばれているんです」と彼女は言った。遠くの電線が風に揺られているような感じの声だった。

「わざわざ電話していただいて申しわけないけれど、僕の探しているのは男なんです」と僕は言った。

「たぶんそうだと思ってました」と彼女は言った。「でもとにかく、私も鼠って呼ばれてるんです。だから一応電話した方がいいだろうと思って……」

「本当にありがとう」

「いいえ、いいんです。その方はみつかりまして?」

「まだです」と僕は言った。「残念ながら」

「私だったら良かったんですけれど……。でも結局私じゃないし」

「そうですね。残念です」

彼女は黙っていた。そのあいだ僕は小指の先で耳の後ろを掻《か》いた。

「本当はあなたとお話ししてみたかったんです」と彼女は言った。

「僕と?」

「よくわからないけれど、今朝新聞広告を見てからずっと迷っていたんです。あなたに電話していいものかどうか。きっと御迷惑だろうと思ったものだから……」

「じゃあ、あなたが鼠と呼ばれているというのも嘘なんですね?」

「そうです」と彼女は言った。「誰も私のことを鼠なんて呼びません。そもそも友だちもいないんです。だから誰かと話してみたくって」

僕はため息をついた。「でもまあ、とにかくありがとう」

「ごめんなさい。北海道の方ですか？」

「東京です」と僕は言った。

「東京からお友だちを捜しにみえたんですね？」

「そのとおりです」

「お幾つくらいの方なんですか？」

「三十歳になったばかりです」

「あなたは？」

「あと二ヵ月で三十です」

「独身？」

「そうです」

「私は二十二なんです。年をとればいろんなことは楽になるのかしら？」

「どうかな」と僕は言った。「わからないな。楽になることもあるし、そうでもないこともあるし」

「食事でもしながらゆっくりお話しできるといいんだけれど」

「申しわけないけれど、ずっとここで電話を待ってなくちゃいけないもので」

「そうね」と彼女は言った。「いろいろごめんなさい」

「とにかく電話をくれてありがとう」

そして電話が切れた。

よく考えてみれば手のこんだ売春勧誘電話のようでもあった。それとも額面どおりに孤独な女の子からの電話であるのかもしれない。僕にとってはどちらでも同じだった。結局のところ手がかりはゼロなのだ。

翌日かかってきた電話は一本だけで「鼠のことなら私にまかせておきなさい」という頭のおかしい男からの電話だった。彼は十五分にわたってシベリア抑留中に鼠と闘った話をしてくれた。なかなか面白い話だったが、手がかりにはならなかった。

僕は窓ぎわのスプリングのとびだしかけた椅子に座り、電話のベルが鳴るのを待ちながら向いのビルの三階にある会社の労働状況を一日がかりで眺めていた。一日眺めていても、それがいったい何を目的とした会社であるのかは僕にはさっぱりわからなかった。会社には十人ばかりの社員がいて、バスケット・ボールの競《せ》りあった試合みたいに始終人が出たり入ったりしていた。誰かが誰かに書類をわたし、誰かがそれに判を押し、べつの誰かが封筒にそれを入れて外にとびだしていった。昼休みには大きな乳房の女事務員がみんなにお茶を淹《い》れた。午後には何人かがコーヒーの出前をとった。それで僕もコーヒーが飲みたくなって、フロント係に伝言を頼んで近くの喫茶店でコーヒーを飲み、ついでに缶ビールを二本買って帰った。帰ってみると会社の人間の数は四人に減っていた。乳房の大きな事務員は若い社員とふざけあっていた。僕はビールを飲みながら彼女を中心に会社の活動状況を眺めた。

彼女の乳房は見れば見るほど異常に大きいように思えはじめた。きっとゴールデンゲート橋のワイヤ・ロープのようなブラジャーを使っているのだろう。何人かの若い社員は彼女と寝たいと思っているようだった。二枚のガラスと一本の通りごしに彼らのそんな性欲が僕につたわってきた。他人の性欲を感じるというのは奇妙なものだ。そのうちにそれが僕自身の性欲であるかのような錯覚にとらわれてしまう。

五時になって彼女が赤いワンピースに着替えて帰ってしまうと、僕は窓のカーテンを閉め、テレビで「バックス・バニー」の再放送を観た。いるかホテルでの八日めはそのように暮れていった。

「やれやれ」と僕は言った。やれやれという言葉はだんだん僕の口ぐせのようになりつつある。「これで一ヵ月の三分の一が終り、しかも我々はどこにも辿《たど》りついていない」

「そうね」と彼女は言った。「いわしはどうしているかしら?」

我々は夕食のあとでいるかホテルのロビーにある品の悪いオレンジ色のソファーの上で休んでいた。我々の他には例の三本指のフロント係がいるだけだった。彼は梯子《はしご》を使って電球をとりかえたり、窓ガラスを拭いたり、新聞をたたんだりしていた。我々以外にも何人か泊まり客はいるはずなのだが、みんな日かげにおかれたミイラみたいにことりとも音を立てずに部屋にこもっているようだった。

「お仕事の方はいかがですか?」とフロント係は鉢植えに水をやりながらおそるおそる僕に訊ねた。

「あまりぱっとしないね」と僕は言った。

「新聞に広告をお出しになりましたようで」

「そうなんだ」と僕はいった。「土地の遺産相続のことで人を捜してるんですよ」

「遺産相続？」

「そう。なにしろ相続人が行方不明ときてるから」

「なるほど」と彼は納得した。「面白そうな御職業で」

「そんなこともないですよ」

「しかしどことなく『白鯨』のような趣きがあります」

「白鯨？」と僕は言った。

「そうです。何かを探し求めるというのは面白い作業です」

「マンモスとか？」と僕のガール・フレンドが訊ねた。

「そうです。なんだって同じです」とフロント係は言った。「私がここをドルフィン・ホテルと名付けましたのも、実はメルヴィルの『白鯨』にいるかの出てくるシーンがあったからなんです」

「ほう」と僕は言った。「しかしそれならいっそのこと鯨ホテルにでもすればよかったのに」

「鯨はあまりイメージがよくないんです」と残念そうに彼は言った。

「いるかホテルってすてきな名前よ」とガール・フレンドが言った。

「どうもありがとうございます」とフロント係はにっこりした。「ところでこのように長期滞在していただきましたのも何かのご縁ということで、お礼のしるしにワインなどをさしあげたいと思うのですが？」

「嬉しいわ」と彼女は言った。

「どうもありがとう」と僕は言った。

彼は奥の部屋にひっこむと、しばらくしてから冷えた白ワインとグラスを三つもってやってきた。

「まあ乾杯ということで、仕事中ですが私もしるしだけ」

「どうぞどうぞ」と我々は言った。

そして我々はワインを飲んだ。それほど高級なものではないけれど、さっぱりとした気持の良い味のワインだった。グラスも葡萄のがらのすかしが入ったなかなか粋なものだった。

「『白鯨』が好きなんですね？」と僕は訊ねてみた。

「ええ、それで小さい頃から船乗りになろうと思っていたんです」

「それで今はホテルを経営しているのね？」と彼女が訊ねた。

「このとおり指を失くしてしまいましたもので」と男は言った。「実は貨物船の積荷を下ろしているうちにウインチに巻き込まれちゃったんです」

「可哀そうに」と彼女は言った。

「その時は目の前がまっ暗になりましたね。でもまあ、人生というのはわからんものです。なんとか今ではこのようにホテルを一軒持てるようになりました。たいしたホテルではありませんが、それなりになんとかやっております。これでもう十年になりますか」

とすれば彼はただのフロント係ではなく、支配人なのだ。

「最高に立派なホテルよ」と彼女が励ました。

「どうもありがとうございます」と支配人は言って、我々のグラスに二杯めのワインを注いでくれた。

「でも十年にしては、なんというか、建物に風格がありますね」と僕は思いきって訊ねてみた。

「ええ、これは戦後すぐに建てられたんですよ。ちょっとした縁がありまして安く買いとることができました」

「ホテルの前にはいったい何に使われていたんですか？」

「北海道緬羊会館という名になっておりまして、緬羊に関する様々な事務と資料を……」

「緬羊？」と僕は言った。
「羊です」と男が言った。

☞

「建物は北海道緬羊協会の持ちものでありまして、これは昭和四十二年まで続いたのですが、まあ道内の緬羊事業不振という状況もあり、閉館ということになったんです」と男は言ってワインを一口飲んだ。「その時に館長を勤めておりましたのが実は私の父親でして、父親は自分が愛着を持つ緬羊会館をこのまま閉館させるには忍びないと申しまして、緬羊に関する資料を保存するという条件で、この建物と土地を比較的安い値段で協会から払い下げてもらったわけです。だから今でもこの建物の二階は全部緬羊資料室になっております。もっとも資料とはいっても古いものですから何の役に立つというものでもなし、まあ老人の趣味のようなものでして、残りの部分を私がホテルに運用しておるという次第です」

「偶然だな」と僕は言った。

「偶然と申しますと？」

「実は僕の探している人物は羊に関係してるんですよ。手がかりと言えば彼が送ってきた一枚の羊の写真だけでね」

「ほう」と彼は言った。「よろしければ拝見したいですな」

僕はポケットから手帳にはさんだ羊の写真を出して男にわたした。男はカウンターから眼鏡を持ってきて、じっと写真を眺めた。

「これは覚えがありますね」と彼は言った。

「覚えがある？」

「たしかにあります」男はそう言って電灯の下にかけっぱなしになっていた梯子《はしご》をはずして反対側の壁にたてかけ、天井近くにかかっていた額を手に取り、梯子を下りた。そして額につもったほこりを雑巾《ぞうきん》で拭きとってから、我々にそれをわたしてくれた。

「これと同じ景色じゃありませんか？」

額自体も十分古びていたが、中の写真はもっと古びて茶色く変色していた。その写真にもやはり羊が写っていた。全部で六十頭くらいはいるだろう。柵があり、白樺林があり、山があった。白樺林の形は鼠の写真とはまるっきり違っていたが、背景の山はたしかに同じ山だった。写真の構図までがそっくり同じだった。

「やれやれ」と僕は彼女に言った。「我々は毎日この写真の下を通りすぎていたんだよ」

「だからいるかホテルにするべきだって言ったじゃない」と彼女はこともなげに言った。

「さて、それで」と僕は一息ついてから男に訊ねた。「この風景の場所はどこですか?」

「知りません」と男は言った。「この写真は緬羊会館時代からずっと同じ場所にかかっていたんです」

「ふうん」と僕は言った。

「しかし知るてだてはあります」

「どんな?」

「私の父親に訊いてみて下さい。父親は二階に部屋を持っていて、そこで寝起きしてるんです。殆んど二階にこもって、ずっと羊の資料を読んでるんです。私はもう半月近く顔を会わしていませんが、食事をドアの前に置いておくと三十分後には空になっているので、生きてることはたしかみたいです」

「お父さんに聞けばこの写真の場所がわかるんですか?」

「たぶんわかると思います。前にも申しましたように父親は緬羊会館の館長を勤めておりましたし、なにしろ羊に関することならなんでも知ってるんです。世間では羊博士と呼ばれているくらいですから」

「羊博士」と僕は言った。

3　羊博士おおいに食べ、おおいに語る

羊博士の息子であるいるかホテル支配人の話によれば、羊博士のこれまでの人生は決して幸福なものではなかった。

「父親は一九〇五年に仙台の旧士族の長男として生まれました」と息子は言った。「西暦年号で話すことになりますが、よろしいでしょうか？」

「どうぞどうぞ」と僕は言った。

「とりたてて裕福というわけでもないのですが、一応の家作はありますし、かつては城代家老までつとめた旧家なんです。幕末には高名な農学者も出しております」

羊博士は子供の頃からとび抜けて学業優秀であり、仙台の街では知らぬもののない神童だった。学業ばかりではなくヴァイオリンの演奏にもすぐれ、中学校時代には来県したさる皇族の前でベートーヴェンのソナタを奏し、金時計を授かったこともある。

家族は彼が法律を専攻してその方面に進むことを望んだが、羊博士はあっさりと断った。

「法律には興味がないのです」と若い羊博士は言った。

「それでは音楽の道を歩むのもよかろう」と父親は言った。「一家に一人くらい音楽家がおってもいい」

「音楽にも興味はありません」と羊博士は答えた。

沈黙がしばらくつづいた。

「それでは」と父親が口を開いた。「お前はどのような道に進みたいのだ?」

「農業に興味があります。農政を学びたいと考えております」

「よろしい」と少しあとで父親は言った。そう言わざるを得なかったのだ。羊博士は素直でやさしい性格だったが、一度言い出したことは絶対にまげないといったタイプの青年だった。父親でさえそれに口をはさむことはできなかった。

翌年羊博士は希望どおり東京帝国大学農学部に入学した。彼の神童ぶりは大学に入っても衰えなかった。誰もが、教授さえもが、彼に一目置いた。学業はあいかわらずとびぬけて優秀であり、人望もあった。要するに文句のつけようもないエリートだったのだ。悪い遊びにも染まらず、暇があれば本を読み、本に飽きると大学の庭にでかけてヴァイオリンを弾いた。学生服のポケットにはいつも金時計が入っていた。

大学を首席で卒業すると彼はスーパー・エリートとして農林省に入省した。彼の卒業論文のテーマは簡単に言えば本土と朝鮮と台湾を一体化した広域的な計画農業化に関するものであり、これは少々理想主義的に過ぎるきらいはあったが、当時はちょっとした話題になった。

羊博士は二年間本省で鍛えられたあと、朝鮮半島に渡って稲作の研究をした。そして「朝鮮半島における稲作に関する試案」というレポートを提出し、採用された。

一九三四年に羊博士は東京に呼び戻され、陸軍の若い将官にひきあわされた。将官は来るべき中国大陸北部における軍の大規模な展開に向けて羊毛の自給自足体制を確立していただきたい、と言った。それが羊博士と羊の最初の出会いだった。羊博士は本土と満州とモンゴルにおける緬羊増産計画の大綱をまとめた後、現地視察のために翌年の春満州に渡った。彼の転落はそこから始まった。

一九三五年の春は平穏のうちに過ぎ去った。事件が起きたのは七月だった。羊博士は一人で馬に乗ってぶらりと緬羊視察に出かけたまま行方不明になってしまったのである。

三日経ち、四日経ちしても羊博士は戻らなかった。軍隊を交えた捜索隊が必死になって荒野を探しまわったが、彼の姿はどこにもなかった。狼に襲われたか、土匪《どひ》にでも連れ去られたのだろう、と人々は考えた。しかし一週間たって人々がもうすっかりあきらめた頃、羊博士はやつれ果てた姿で夕暮のキャンプに戻ってきた。顔はげっそりとやせて何ヵ所か傷を負い、眼光だけがぎらぎらと光っていた。その上馬もなく、金時計もなくなっていた。道に迷って馬が怪我をしたんですよ、と彼は説明し、人々はそれで納得した。

しかしそれから一ヵ月ばかりして役所の中で奇妙な噂が流れ始めた。彼が羊とのあいだに「特殊な関係を持った」という噂である。しかしその「特殊な関係」というのがいったい何を意味するのかは誰にもわからなかった。そこで上司が彼を部屋に呼び、事実を問いただすことになった。植民地社会にあっては噂を無視するわけにはいかない。

「君は羊とのあいだに本当に特殊な関係を持ったのか？」と上司は訊ねた。

「持ちました」と羊博士は答えた。

以下はそのやりとりである。

Q「特殊な関係とは性行為のことであるのか？」
A「そうではありません」
Q「説明をしてほしい」
A「精神的行為であります」
Q「説明になっていない」
A「うまい言葉がみつかりませんが、交霊というのが近いかと思います」
Q「君は羊と交霊したというのか？」
A「そうであります」
Q「行方不明になった一週間、君は羊と交霊していたと言うのか？」
A「そうであります」
Q「それは職務逸脱行為であるとは思わないのか？」
A「羊の研究が私の職務であります」
Q「交霊は研究事項とは認められない。以後謹しんでもらいたい。そもそも貴君は東京帝国大学農学部を優秀な成績で卒業し、入省後も秀れた勤務成績を残している、いわば将来の東亜の農政を担うべき人物である。それを認識すべきである」
A「わかりました」

Q「交霊のことは忘れたまえ。羊はただの家畜だ」
A「忘れることは不可能であります」
Q「事情を説明してもらいたい」
A「羊が私の中にいるからです」
Q「説明になっていない」
A「これ以上の説明は不可能であります」

一九三六年二月、羊博士は本国に召還され、何度か同じような質問を受けたあと、その春には本省資料室に配属になった。資料の目録を作ったり、書棚の整理をしたりするような仕事である。要するに彼は東亜の農政の中枢《ちゅうすう》から追放されたのだ。

「羊は私の中から去ってしまった」と当時の羊博士は親しい友人に言った。「しかし、それはかつては私の中にいたのだ」と。

一九三七年、羊博士は農林省を辞し、かつて彼がその中心を担っていた、日満蒙緬羊三〇〇万頭増殖計画を利用して農林省の民間貸付金を受け、北海道に渡って羊飼いとなった。羊五六頭。

1939年、羊博士結婚。羊一二八頭。
1942年、長男誕生。(現在のいるかホテル支配人) 羊一八二頭。
1946年、羊博士の緬羊牧場、米占領軍の演習場として接収される。羊六二頭。
1947年、北海道緬羊協会勤務。
1949年、肺結核により夫人死去。
1950年、北海道緬羊会館館長就任。
1960年、長男小樽港にて指切断。

１９６７年、北海道緬羊会館閉館。
１９６８年、「ドルフィン・ホテル」開業。
１９７８年、若き不動産業者、羊の写真について質問。
——僕のことだ。

☜

「やれやれ」と僕は言った。

「お父さんに是非会ってみたいですね」と僕は言った。

「お会いになるのはかまいません。しかし父親は私を嫌っていますので、申しわけありませんが、あなた方だけで行って下さいますか？」と羊博士の息子は言った。

「嫌ってる？」

「私が指を二本失くした上に禿げかけているからです」

「なるほど」と僕は言った。「変った人のようですね」

「息子の私が言うのもなんですが、たしかに変っています。父親は羊と関りあってからすっかり人が変ってしまったんです。とても気むずかしく、時々残酷になります。しかし本当は、心の底では優しい人なんです。ヴァイオリンの演奏を聴けば、それはわかります。羊が父親を傷つけたんです。そして羊は父親を通して、私を傷つけてもいるんです」

「お父様のことを好きなのね」と彼女が訊ねた。

「ええ、そうです。好きです」といるかホテルの支配人は言った。「でも父親は私のことを嫌っています。生まれてから一度も抱かれたことがないんです。暖かい言葉をかけてくれたこともありません。私が指を失くして頭が禿げてからは、そのことで私をしょっちゅういじめるんです」

「きっといじめるつもりはないのよ」と彼女がなぐさめた。

「僕もそう思いますよ」と僕は言った。

「ありがとうございます」と支配人は言った。

「我々が直接行って会ってもらえるでしょうか？」と僕は訊ねてみた。

「わかりません」と支配人は言った。「でもふたつのことに気をつければたぶん会ってくれるんじゃないでしょうか。ひとつは羊に関して質問したいことがあるときちんと言うことです」

「もうひとつは？」

「私から聞いてきたと言わないことです」

「なるほど」と僕は言った。

我々は羊博士の息子に礼を言って階段を上った。階段の上は冷《ひん》やりとして、空気は湿っていた。電灯はほの暗く、廊下の隅にはほこりがたまっていた。古い紙の匂いと体臭があたりに漂っている。我々は長い廊下を歩き、息子に言われたように、つきあたりの古いドアをノックした。ドアの上には「館長室」という古いプラスチックの札が貼ってあった。返事はない。僕はもう一度ノックしてみた。やはり返事はない。三度めにノックした時に中で人のうめく声が聞こえた。

「うるさい」と男が言った。「うるさい」

「羊のことでお話をうかがいにきました」

「糞でも食ってろ」と羊博士が中でどなった。七十三歳にしてはしっかりとした声だった。

「是非会っていただきたいんです」と僕はドア越しにどなった。

「羊について話すことなんか何もない。阿呆めが」と羊博士が言った。

「でも話すべきなんです」と僕は言った。「一九三六年にいなくなった羊のことです」

しばしの沈黙があり、それからドアがいきおいよく開いた。羊博士が我々の前に立っていた。

羊博士の髪は長く、雪のように真白だった。眉も白く、それがつららのように目にふりかかっていた。身長は一六五センチばかりで、体はしゃんとしている。骨格は太く、鼻筋は顔のまんなかからスキーのジャンプ台のような角度で挑戦的に前につきだしている。

部屋中に体臭が漂っていた。いや、それは体臭とさえ言えなかった。それはあるポイントを越えてからは体臭であることを放棄して時間と調和し、光と調和していた。広い部屋には古い書物と書類が所狭しとつみあげられ、床は殆んど見えなかった。書物の殆んどは外国語で書かれた学術書で、どれもこれもしみだらけだった。右手の壁際にはあかにまみれたベッドがあり、正面の窓の前には巨大なマホガニーの机と回転椅子があった。机の上は比較的きちんと整理され、書類の上に羊の形をしたガラスのペーパー・ウェイトが載っていた。電灯は暗く、ほこりをかぶったスタンドだけが机の上に六十ワットの光を投げかけていた。

羊博士はグレーのシャツと黒いカーディガンを着て、形が殆《ほと》んどなくなってしまったヘリンボーンの太いズボンをはいていた。グレーのシャツと黒いカーディガンは光線の加減で白いシャツとグレーのカーディガンにも見えた。もともとはそういう色だったのかもしれない。

羊博士は机の向うの回転椅子に座ると、指で我々にベッドに座れと指示した。我々は地雷原を抜けるように本をまたいでベッドまで辿りつき、そこに腰を下ろした。僕のリーヴアイスが永遠にシーツに貼りついてしまうのではないかと思えるくらい汚れたベッドだった。羊博士は机の上で指を組んだまま、じっと我々をみていた。指には関節にまで黒い毛がはえていた。指の黒い毛は眩《まぶ》しいばかりの白髪と奇妙なコントラストを描き出していた。

それから羊博士は電話を取り、受話器に向って「早く食事を持って来い」とどなった。

「さて」と羊博士は言った。「お前らは一九三六年にいなくなった羊の話をしにきたわけだな」

「そうです」と僕は言った。

「ふうん」と彼は言った。それから大きな音を立ててちり紙で鼻をかんだ。「何かを話したいのか？　それとも何かを訊きたいのか？」

「両方です」

「じゃあ、まず話せよ」

「一九三六年の春にあなたから逃げだした羊のその後の足どりを知っています」

「ふうん」と羊博士は鼻を鳴らした。「俺が四十二年にわたって何もかもを捨てて探しまわったものを、お前は知っていると言うんだな」

「知っています」と僕は言った。

「出鱈目《でたらめ》かもしれない」

僕はポケットから銀製のライターと鼠の送ってきた写真を出して机の上に置いた。彼は毛のはえた手をのばしてライターと写真を手にとり、スタンドの灯の下で長い時間をかけて検分した。沈黙が粒子のように長いあいだ部屋に漂っていた。がっしりとした二重ガラスの窓が都市の騒音を閉めだし、チリチリという古い電気スタンドの音だけが、沈黙の重さを際立たせていた。

老人はライターと写真を調べ終るとぱちんと音をたててスタンドのスイッチを切り、太い指で両目をこすった。それはまるで眼球を頭蓋骨の中に押しこもうとしているかのように見えた。指を離した時、目は兎のように赤く淀んでいた。

「悪かったな」と羊博士は言った。「ずっと阿呆どもにとり囲まれていたせいで、人が信じられなくなってたんだ」

「いいです」と僕は言った。

ガール・フレンドはにっこりと微笑《ほほえ》んだ。

「君は思念のみが存在し、表現が根こそぎもぎとられた状態というものを想像できるか?」と羊博士が訊ねた。

「わかりません」と僕は言った。

「地獄だよ。思念のみが渦まく地獄だ。一筋の光もなくひとすくいの水もない地底の地獄だ。そしてそれがこの四十二年間の私の生活だったんだ」

「羊のせいなんですね？」

「そうだよ。羊のせいだ。羊が私をそんな中におきざりにしたんだ。一九三六年の春のことだ」

「そこで羊を探すために農林省を辞《や》めたんですね？」

「役人なんてみんな馬鹿だからな。奴らには物事の真の価値などわからんのだ。あの羊の持つ意味の重大さも奴らには永遠にわからんだろう」

ドアにノックの音がして、「お食事をお持ちしました」と女の声が言った。

「置いていけ」と羊博士がどなった。

床に盆を置くかたんという音がして、それから足音が遠ざかっていった。僕のガール・フレンドがドアを開けて、食事を羊博士の机まで運んだ。盆の上には羊博士のためにスープとサラダとロールパンと肉団子が、我々のためにコーヒーが二杯載っていた。

「君らは飯を食ったか？」と羊博士は訊ねた。

「済ませました」と我々は言った。

「何を食った？」

「仔牛のワイン煮」と僕は言った。

「焼いた海老」と彼女が言った。

「ふうん」と羊博士はうなった。それからスープを飲み、クルトンをこりこりと齧《かじ》った。

「悪いが食事をしながら話をさせてもらう。腹が減ってるんだ」

「どうぞどうぞ」と我々は言った。

羊博士はスープを飲み、我々はコーヒーをすすった。羊博士はじっとスープの皿をのぞきこみながらスープを飲んだ。

「その写真の土地がどこだか御存じですか？」と僕は訊ねた。

「知ってるよ。よく知ってる」

「教えていただけますか？」

「まあ待て」と羊博士は言った。そして空になったスープ皿をわきにどけた。「物事には順番というものがある。まず一九三六年の話をしよう。最初に私が話す。それから君が話す」

僕は肯《うなず》いた。

「簡単に説明すると」と羊博士が言った。「羊が私の中に入ったのは一九三五年の夏のことだ。私は満蒙国境近くで放牧の調査中に道に迷い、偶然目についた洞窟《どうくつ》にもぐりこんで一夜を過した。夢の中に羊が現われて、私の中に入ってもいいか、と訊ねた。かまわん、と私は言った。その時は自分ではたいしたことのようには思えなかったんだ。なにしろこれは夢だとちゃんとわかっていたしな」老人はクックッと笑いながらサラダを食べた。

「それはこれまでに見たことのない種類の羊だった。私は職業柄世界中の羊は知っていたが、それだけは特別な羊だった。角が奇妙な角度に曲がっていて、足はずんぐりと太く、目の色は湧き水のように透明だった。毛は純白で、背中に星の形に茶色い毛がはえていた。こんな羊はどこにもいない。だからこそ私はその羊に私の体の中に入ってもかまわんと言ったんだ。羊の研究者としてもそのような珍種の羊を見逃したくはなかったしね」

「羊が体の中に入るというのはどういった感じがするものなんでしょう？」

「特別なものはない。ただ羊がいると感じるだけだ。朝起きて感じるんだ、羊が俺の中にいるとな。とても自然な感じだ」

「頭痛の御経験は？」

「生まれてから一度もない」

羊博士は肉団子にまんべんなくソースをつけて口の中に放り込み、もぐもぐと食べた。

「羊が人の体内に入るというのは中国北部、モンゴル地域ではそれほど珍しいことではないんだ。連中のあいだでは羊が体内に入ることは神の恩恵であると思われておる。たとえば元朝時代に出版されたある本にはジンギス汗の体内には『星を負《お》った白羊』が入っていたと書いてある。どうだ、面白いだろう？」

「面白いです」

「人の体内に入ることのできる羊は不死であると考えられている。そして羊を体内に持っている人間もまた不死なんだ。しかし羊が逃げだしてしまえば、その不死性も失われる。全ては羊次第なんだ。気に入れば何十年でも同じところにいるし、気に入らなければぷいと出ていく。羊に逃げられた人々は一般に『羊抜け』と呼ばれる。つまり私のような人間のことだ」

もぐもぐ。

「私は羊が体内に入ってからずっとそういった羊に関する民俗学や伝承を研究し始めた。現地の人々の話を聞いたり、古い書物を調べてみた。そのうちに連中のあいだに私に羊が入ったという噂が広まり、それが私の上司のもとにまで届いた。私の上司にはそれが気に入らなかったんだ。そして私は『精神錯乱』というレッテルを貼られて本国に送り帰された。いわゆる植民地呆《ぼ》けというやつだな」

羊博士は肉団子を三つ片付けると、ロールパンにとりかかった。はたで見ていても気持良いほどの食欲だった。

「日本の近代の本質をなす愚劣さは、我々がアジア他民族との交流から何ひとつ学ばなかったことだ。羊のこともまた然《しか》り。日本における緬羊飼育の失敗はそれが単に羊毛・食肉の自足という観点からしか捉えられなかったところにある。生活レベルでの思想というものが欠如しておるんだ。時間を切り離した結論だけを効率よく盗みとろうとする。全てがそうだ。つまり地面に足がついていないんだ。戦争に負けるのも無理はないよ」

「その羊も日本まで一緒に来たんですね」と僕は話をもとに戻した。

「そうだ」と羊博士は言った。「釜山から船で帰った。羊も一緒についてきた」

「羊の目的はいったいなんだったんですか？」

「わからん」と羊博士は吐き出すように言った。「わからんのだ。羊は私にはそれを教えなかった。しかし奴には大きな目的があった。それだけは私にもわかった。人間と人間の世界を一変させてしまうような巨大な計画だ」

「それを一頭の羊がやろうとしたんですか？」

羊博士は肯いてロールパンの最後のかけらを口につっこむとぱたぱたと手をはたいた。

「驚くことはない。ジンギス汗のやったことを考えてみろ」

「それはそうです」と僕は言った。「しかし何故今ごろになって、しかもこの日本を羊が選んだんでしょう？」

「たぶん私が羊を起こしてしまったんだろう。羊はきっと何百年ものあいだあの洞窟の中で眠っていたんだ。それを私が、この私が起こしてしまったんだ」

「あなたのせいじゃありませんよ」と僕は言った。

「いや」と羊博士は言った。「私のせいだ。もっと早くそれに気づくべきだったんだ。そうすれば私にも打つ手はあったんだ。しかし私は気づくのに時間がかかった。そして私が気づいた時には羊はもう逃げ出したあとだった」

羊博士は黙り込んで、つららのような白い眉毛を指でこすった。四十二年という時間の重さが彼の体の隅々にまで浸み込んでいるようだった。

「ある朝目が覚めるともう羊の姿はなかった。その時になって私はやっと『羊抜け』というのがどういうものかを理解することができた。地獄だよ。羊は思念だけを残していくんだ。しかし羊なしにはその思念を放出することはできない。これが『羊抜け』だ」

羊博士はもう一度ちり紙で鼻をかんだ。「さあ、今度は君が話す番だ」

僕は羊が羊博士を離れたあとの話をした。羊が獄中の右翼青年の体内に入ったこと。彼が出獄してすぐに右翼の大物になったこと。次いで中国大陸に渡り、情報網と財産を築きあげたこと。戦後A級戦犯となったが、中国大陸における情報網と交換に釈放されたこと。大陸から持ち帰った財宝をもとに、戦後の政治・経済・情報の暗部を掌握《しょうあく》したこと、等々。

「その人物の話は聞いたことがある」と羊博士は苦々しげに言った。「羊はどうやら適任者をみつけたようだな」

「しかし今年の春、羊は彼の体を離れました。本人は現在意識不明で死にかけています。羊がそれまでずっと脳の欠陥をカバーしていたんです」

「幸せなことだよ。『羊抜け』にとってなまじ意識なんてない方が楽なんだ」

「なぜ羊は彼の体を離れたんでしょう？　あれほど長い年月をかけて巨大な組織を築きあげたのに」

羊博士は深いため息をついた。「君にはまだわからんのか？　その人物の場合も私と同じだよ。利用価値がなくなったんだ。人には限界があるし、羊は限界に達した人間には用がない。おそらく彼には羊が本当に求めているものを十全に理解することができなかったんだろう。彼の役目は巨大な組織を築きあげることであり、それが完了した時、彼は捨てられたんだ。ちょうど羊が私を輸送機関として利用したようにだ」

「じゃあ、羊はそのあとどうしたんですか？」

羊博士は机の上から羊の写真をとりあげて指でぱんぱんと叩いた。「日本中を彷徨《さまよ》ってたんだよ。新たな宿主を求めてな。おそらく羊はその新たな人物を何らかの手段でその組織の上に置くつもりなんだろう」

「羊の求めているのは何ですか？」

「さっきも言ったように、残念ながら私には言葉でそれを表現することができない。羊の求めているのは羊的思念の具現だとしかな」

「それは善的なものですか？」

「羊的思念にとってはもちろん善だ」

「あなたにとっては？」

「わからんよ」と老人は言った。「本当にわからんのだ。羊が去ったあとではどこまでが私でどこまでが羊の影なのか、それさえもわからないんだ」

「あなたがさっきおっしゃった打つべき手というのはどんなことなのですか？」

羊博士は首を振った。「私は君にそれを言うつもりはない」

再び沈黙が部屋を覆《おお》った。窓の外では激しい雨が降り始めていた。札幌に来て最初の雨だった。

「最後にその写真の土地の場所を教えて下さい」と僕は言った。

「私が九年間暮していた牧場だよ。そこで羊を飼っていた。戦後すぐに米軍に接収され、返還された時にある金持に牧場つきの別荘地として売った。今でも同じ持ち主のはずだ」

「今でも羊を飼っているんですか？」

「わからん。しかしその写真を見るとどうやら今でも飼っているらしいな。ともかく人里離れた場所で、見渡す限り人家もない。冬には交通も途絶える。持ち主が使うのは年に二、三ヵ月くらいのものだろう。静かで良いところだがね」

「使われていない時は誰かが管理しているんですか？」

「冬場はたぶん誰もいないだろう。私をのぞけば、あんなところで一冬過したがる人間はまずいないからね。羊の世話は金を払ってふもとにある町営の緬羊飼育場に委託すればいいんだ。屋根の雪は自然に地面に落ちるように設計してあるし、盗難の心配もない。あんな山の中で何かを盗んでも町に辿りつくまでが大変だよ。なにしろおそろしい量の雪が降るからな」

「今は誰かいるでしょうか？」

「さあね。もういないんじゃないかな。そろそろ雪が近づいているし、熊は冬ごもりの食料を求めて歩きまわっているし……あそこに行くつもりなのか？」

「行くことになると思います。それ以外にこれといったあてもありませんから」

羊博士はしばらくのあいだじっと口を閉じていた。昼のわきに肉団子のトマト・ソースがこびりついていた。

「実は君たちの前にもう一人あの牧場について質問をしに来た人物がいるんだ。今年の二月だったかな。年格好は、そうだな、君に似ているな。ホテルのロビーにあった写真を見て興味を持ったんだそうだ。私もちょうど退屈していた時期だったから、いろいろと教えてやったよ。小説を書く材料にしたいんだと言ってたな」

僕はポケットから僕と鼠が一緒に写った写真を出して羊博士に渡した。一九七〇年の夏にジェイズ・バーでジェイが撮ってくれた写真だ。僕は横を向いて煙草をふかし、鼠はカメラに向けて親指をつきだしていた。二人とも若く、真黒に日焼けしていた。

「一人は君だな」と羊博士はスタンドの灯りをつけて写真を眺めた。「今より若い」

「八年前の写真です」と僕は言った。

「もう一人はたぶんその男だ。もう少し年をとって髭《ひげ》をはやしていたが、間違いないだろう」

「髭？」

「きちんとした口髭とあとは無精髭だよ」

僕は髭をのばした鼠の顔を想像してみたが、うまくいかなかった。

羊博士は牧場の細かい地図を描いてくれた。旭川の近くで支線に乗りかえ、三時間ばかり行ったところにふもとの町があった。その町から牧場までは車で三時間かかった。

「どうもいろいろとありがとうございました」と僕は言った。

「本当のことを言えばあの羊にはこれ以上関らん方が良いと私は思う。私がその良い例だ。あの羊に関って幸福になれた人間は誰もいない。何故なら羊の存在の前では一個の人間の価値観など何の力も持ち得ないからだ。しかしまあ、君にもいろいろと事情があるんだろう」

「そのとおりです」

「気をつけてな」と羊博士は言った。「それから食器をドアの前に出しておいてくれ」

4　さらばいるかホテル

我々は一日かけて出発の準備をした。スポーツ用品店で登山の装備と携帯食料品を揃え、デパートでぶ厚いフィッシャーマン・セーターと毛の靴下を買った。書店で付近の五万分の一の地図と地域史の本を買った。靴は雪道を歩ける頑丈なスパイク・シューズに、下着はごわごわとした防寒用のものにした。

「こういうのは私の商売には向かないみたいね」と彼女は言った。

「雪の中に出れば、そんなこと考えてる余裕もなくなるよ」と僕は言った。

「雪が積る季節までいるつもりなの？」

「わからないよ。しかし十月の末にはもう雪が降り始めるし、準備だけはしておいた方がいいからね。何が起こるかは誰にもわからないんだ」

我々はホテルに帰ってそれらの荷物を大型のリュックにつめ、東京から持ってきた余分な荷物をひとつにまとめているかホテルの支配人に預けることにした。実際のところ、彼女のバッグに入っていたのは殆んどが余分な荷物だった。化粧品が一セット、本が五冊とカセット・テープが六本、ワンピースにハイヒール、紙袋いっぱいのストッキングと下着、Tシャツとショート・パンツ、旅行用目覚し時計、スケッチブックと二十四色組みの色鉛筆、便箋と封筒、バスタオル、小型の救急箱、ヘア・ドライヤー、綿棒。

「どうしてワンピースとハイヒールなんて持って来たんだ？」と僕は質問した。

「だってパーティーがあると困るでしょ？」と彼女は言った。

「パーティーなんてあるわけないじゃないか」と僕は言った。

しかし結局、彼女は僕のリュックの中にきちんと丸めたワンピースとハイヒールをつめた。化粧品は近くの店で小さなトラベル・セットに買い換えた。

支配人は気持良く荷物を預かってくれた。僕は翌日までの料金を精算し、一週間か二週間でまた戻ってくるからと言った。

「父親はお役に立てましたでしょうか？」と支配人は心配そうに訊ねた。とても役に立ったと僕は言った。

「私も時々何かを探すことができればと思うんです」と支配人は言った。「でもその前にいったい何を探せばいいのかが自分でもよくわからないんです。私の父親はずっと何かを探しつづけた人です。今でも探しつづけています。私も子供のころからずっと父親に、夢に出てきた白い羊の話をきかされてきました。だから人生というのはそういうもんだと思いこまされてきたんです。何かを探しまわることが本当の人生だという風にです」

いるかホテルのロビーはいつものようにしんとしていた。年取ったメイドがモップを持って階段を上り下りしていた。

「しかし父親は七十三になって、羊はまだみつかりません。本当にそれが存在するのかどうかさえ私にはわかりません。本人にとってもそれほど幸福な人生ではなかったような気がするんです。私は今からでも父親に幸福になってほしいんですが、父親は私を馬鹿にしていて何も言うことをきいてくれません。それというのも私の人生に目的というものがないからです」

「でもいるかホテルがあるわ」とガール・フレンドがやさしく言った。

「それにもうお父さんの羊探しも一段落したはずですよ」と僕がつけ加えた。「残りの部分は我々がひきうけたから」

支配人はにっこりとした。

「それならもう何も言うことはありません。我々はこれから二人で幸福に暮せるはずです」

「そうなるといいですね」と僕は言った。

「本当にあの二人は幸せになれるかしら？」しばらくあとで二人きりになった時、彼女が僕に訊ねた。

「少し時間はかかるかもしれないけど、きっと大丈夫だよ。なにしろ四十二年ぶんの空白が埋められたんだからね。羊博士の役目は終ったんだ。そのあとの羊の足どりは我々が探さなくちゃいけないんだよ」

「あの親子はとても好きよ」

「僕も好きだよ」

荷物の整理が終ると我々は性交し、それから街に出て映画を観た。映画の中でも多くの男女が我々と同じように性交を行っていた。他人の性交を眺めるのも悪くないような気がした。

第八章　羊をめぐる冒険Ⅲ

１　十二滝町の誕生と発展と転落

札幌から旭川に向う早朝の列車の中で、僕はビールを飲みながら「十二滝町の歴史」という箱入りのぶ厚い本を読んだ。十二滝町というのは羊博士の牧場のある町である。たいして役には立たないかもしれないが、べつに読んでおいて損はない。著者は昭和十五年・十二滝町生まれ、北海道大学文学部を卒業後郷土史家として活躍、とある。活躍しているわりには著書はこの一冊だけだった。発行は昭和四十五年五月、もちろん初版である。

本によれば、現在の十二滝町のある土地に最初の開拓民が乗り込んできたのは明治十三年の初夏であった。彼らは総勢十八名、全員が貧しい津軽の小作農で、財産といえば僅《わず》かな農具と衣服・夜具、それに鍋釜・包丁くらいのものだった。

彼らは札幌の近くにあったアイヌ部落に立ち寄り、なけなしの金をはたいてアイヌの青年を道案内に雇った。目の暗い、やせた青年で、アイヌ語で「月の満ち欠け」という意味の名前を持っていた。(たぶん躁鬱《そううつ》症の傾向があったのではないかと著者は推察している。)

もっとも道案内にかけては、この青年は見かけよりずっと優秀だった。彼は言葉が殆《ほと》んど通じないうえにおそろしく疑り深い十八人の陰気な農民たちを率いて石狩川を北上した。彼はどこに行けば肥沃《ひよく》な土地がみつかるかをちゃんと心得ていたのだ。

四日めに一行はそこに到着した。広々として水利はよく、あたり一面に美しい花が咲き乱れていた。

「ここなら良し」と青年は満足気に言った。「獣少なし、土地も肥えとり、鮭もとる」

「いいや」とリーダー格の農民が首を振った。「もっと奥の方がええ」

農民たちはきっともっと奥に行けばもっとよい土地が見つかると思っているんだろう、と青年は考えた。よろしい。それではもっと奥に進もうではないか。

一行はそれから二日間北に向って歩いた。そして最初の土地ほど肥沃ではないにしても洪水の心配のない高台をみつけた。

「どうだ?」と青年は訊ねた。「ここも良し。どうだ?」

農民たちは首を振った。

そのような応答を何度かくりかえしたのち、彼らはとうとう現在の旭川に辿りついた。札幌から七日間、約一四〇キロの旅である。

「ここはどう？」とたいして期待もせずに青年は訊ねた。

「いいや」と農民たちは答えた。

「しかし、ここから先、山歩くよ」と青年は言った。

「構わね」と農民たちは嬉しそうに言った。

そして彼らは塩狩峠を越えた。


農民たちが肥沃な平野部を避けてわざわざ未開の奥地を探し求めていたのにはもちろんそれなりのわけがあった。彼らは実は全員が多額の借金を踏み倒して夜逃げ同然に故郷の村を出てきたので、人目につきやすい平野部は極力避けねばならなかったのである。もちろんアイヌの青年にはそんなことがわかるわけはない。当然のことながら彼は肥沃な耕作地を拒否して北に進みつづける農民たちの姿を見て驚き、悩み、困惑し、混乱し、自信を喪失した。

しかし青年はなかなか複雑な性格の持ち主であったらしく、塩狩峠を越える頃には彼は農民たちを北へ北へと導くその不可解な宿命性にすっかり同化されてしまっていた。そしてわざわざ荒れた道や危険な沼地を選んで農民たちを喜ばせた。

塩狩峠を越えて四日北に進んだところで一行は東から西に流れる川にでくわした。そして合議の末、東に進むことになった。

それはたしかにひどい土地でひどい道だった。彼らは海のように生い繁った熊笹をわけ、背丈よりも高い草原を半日がかりで横切り、胸まで泥につかる湿地を横切り、岩山をよじのぼり、とにかく東へと進んだ。夜は川原に天幕を張り、狼の声を聞きながら眠った。手は熊笹のために血だらけになり、ブヨや蚊はところかまわず貼りつき、耳の穴にまで潜り込んで血を吸った。

東に進んで五日め、彼らは山に遮《さえぎ》られてこれ以上は前に進めないというところまで到着した。とてもじゃないがこれより先には人は住めない、と青年は宣言した。そして農民たちはようやくその歩みを止めた。明治十三年七月八日、札幌から道のりにして二六〇キロの地点である。

彼らはまず地形を調べ、水質を調べ、土質を調べ、そこが結構農耕に適していることを発見した。そしてそれぞれの家族に土地を割り振ってからその中心に丸太で共同小屋を建てた。

アイヌの青年はたまたま近くに猟に来ていたアイヌの一団をつかまえて、「ここはなんという名の土地ですか?」と訊ねてみた。「こんなケツの穴みたいな土地に名前なんてあるわけないじゃないか」と彼らは答えた。

そんなわけでこの開拓地にはその後しばらく名前さえなかった。六十キロ四方に人家のない（あるいはあったとしても交際を望んでいない）部落には名前などそもそも不必要なのだ。明治二十一年に道庁の役人がやってきて開拓民全員の戸籍を作り、部落に名前がないのは困ると言ったが、開拓民たちは誰も困らなかった。それどころか開拓民たちは鎌やくわを持って共同小屋に集まり、「部落には名前をつけない」という決議まで出した。役人は仕方なく、部落のわきを流れる川に十二の滝があったことから「十二滝部落」と名付けて道庁に報告し、それ以降「十二滝部落」（後に十二滝村）はこの集落の正式名称となった。しかしもちろんこれはずっと先の話である。明治十三年に戻ろう。

土地は約六十度の角度に開いたふたつの山にはさみこまれ、そのまんなかを川が深い谷となって貫いていた。たしかに「ケツの穴」のような光景だった。地表には笹がからみつき、巨大な針葉樹が地底に根を広げていた。狼やえぞしかや熊や野ねずみや大小さまざまの鳥が、乏しい木の葉や肉や魚を求めてあたりをさまよっていた。蝿や蚊は実に多かった。

「あなた方、本当にここ住むんだね」とアイヌの青年は訊ねてみた。

「もちろん」と農民たちは答えた。

理由はよくわからないが、アイヌの青年は生まれ故郷には帰らず、そのまま開拓民たちとともにその土地に留まった。おそらく好奇心のためであろうと著者は推察していた（著者は実にしばしば推察していた）。しかしもし彼がいなかったら、開拓民たちが無事にその冬を越せたかどうかは極めて疑問である。青年は開拓民たちに冬期の野菜の採り方を教え、雪の防ぎ方を教え、凍結した川での魚の獲り方を教え、狼の罠《わな》の作り方を教え、冬眠前の熊の追い払い方を教え、風向きによる天候の変り方を教え、凍傷の防ぎ方を教え、熊笹の根のうまい焼き方を教え、針葉樹を一定の方向に切り倒すこつを教えた。そのようにして人々は青年を認めるようになり、青年も自信を回復した。彼は後に開拓民の娘と結婚し、三人の子供を作り、日本名を名乗るようになった。彼はもう「月の満ち欠け」ではなくなったのである。

しかしアイヌの青年のそのような奮闘にもかかわらず、開拓民たちの生活は極めて苛酷なものであった。八月にはめいめいの家族の小屋が建ち揃ったが、不揃いな縦割り丸太を積みあげた程度のものだったから、冬には吹雪が容赦なく吹き込んだ。朝起きると枕もとに一尺も雪が積っているというのもさして珍しいことではなかった。布団も大抵は一家に一枚しかなく、男たちは火を焚《た》き、その前でむしろにくるまって眠った。手持ちの食料を食べつくすと、人々は川魚や雪を掘り起こし、黒くなった蕗《ふき》やぜんまいを探して食べた。とりわけ厳しい冬だったが、死者は一人も出なかった。争いごとも泣きごともなかった。生まれついての貧しさだけが彼らの武器だった。

春がやってきた。二人の子供が生まれ、部落の人口は二十一人になった。妊婦は出産の二時間前まで野良で働き、翌朝にはもう畑に出ていた。新しい畑には玉蜀黍《とうもろこし》や馬鈴薯が植えられ、男たちは木を切り根を焼いて荒地を開墾した。生命が地表に顔を出し、若い実を結び、人々がほっと一息ついた頃にいなごの大群がやってきた。

いなごの大群は山を越えてやってきた。はじめのうち、それは巨大な暗雲に見えた。次にぶうんという地鳴りがやってきた。いったい何が起ころうとしているのか、誰にもわからなかった。アイヌの青年だけがそれを知っていた。彼は男たちに命じて畑のあちこちに火を焚かせた。洗いざらいの家具に洗いざらいの石油をかけて火をつけた。そして女たちには鍋をもたせ、すりこぎで力いっぱい叩かせた。彼は（あとで誰もが認めたように）やれるだけのことはやったのだ。しかし全ては無駄だった。何十万といういなごは畑に降りて作物を思う存分食い荒した。あとには何ひとつ残らなかった。

いなごが去ってしまうと青年は畑につっぷして泣いた。農民たちは誰も泣かなかった。彼らは死んだいなごをひとまとめにして焼き、焼き終るとすぐに開墾のつづきにかかった。

人々はまた川魚とぜんまいと蕗を食べて冬を越した。そして春が来ると三人の子供が生まれ、人々は畑に作物を植えた。夏に再びいなごがやってきた。そして作物を根こそぎにした。アイヌの青年は今度は泣かなかった。

いなごの来襲は三年めにやっとやんだ。長雨がいなごの卵を腐敗させたのだ。しかし同時に雨が長すぎたおかげで作物が被害を受けた。次の年にはこがね虫が異常発生し、その次の年の夏はひどく冷えた。


僕はそこまで読んでしまうと本を閉じてもう一本缶ビールを飲み、バッグの中からいくら弁当を出して食べた。

彼女は向いの席で腕を組んで眠っていた。窓から射し込む秋の朝の太陽が彼女の膝に薄い光の布をそっとかぶせていた。どこからか入り込んだ小さな蛾が風に揺られる紙片のようにひらひらと漂っていた。蛾はやがて彼女の乳房の上にとまり、しばらくそこで休んでから、またどこかに飛び去っていった。蛾が飛び去ったあとでは、彼女はほんの少しだけ年老いたように見えた。

僕は煙草を一本吸ってから本を開き、「十二滝町の歴史」のつづきを読み始めた。

六年めになって、ようやく開拓村は活気を見せ始めた。作物は実り、小屋は改良され、人々は寒冷地の生活に馴染《なじ》んでいった。丸太小屋は逸材できちんとした家屋に整えられ、かまどが作られ、カンテラが吊された。人々は僅かに余った作物と干魚とえぞしかの角を舟に積んで二日がかりで町に運び、塩と衣服と油を買い求めた。何人かは開墾で切り倒された木から炭を焼くことを覚えた。川下には幾つかの同じような村落もでき、交流が生まれた。

開拓が進むにつれて人手の不足が深刻な問題となり、村民は会議を開いて二日間議論を戦わせた末に故郷の村から何人かの後続者を呼ぶことにした。問題は借金だったが、手紙でこっそり問い合わせてみると借金取りの方はすっかりあきらめたようだという返事が来た。そこで最年長の農民が何人かの村の昔の仲間に、こちらに来て一緒に開墾にあたらないかという手紙を出した。明治二十一年、戸籍調査が行われ、役人によって部落が十二滝部落と名付けられたのと同じ年である。

翌年六家族、十九人の新しい開拓民が部落にやってきた。彼らは補修された共同小屋に迎えられ、人々は涙を流して再会を喜びあった。新住民はそれぞれの土地を与えられ、先住民の協力のもとに畑を作り家を建てた。

明治二十五年には四家族、十六人がやってきた。明治二十九年には七家族二十四人がやってきた。

このように住民は増えつづけた。共同小屋は拡張されて立派な集会所となり、その隣りには小さな神社も作られた。十二滝部落は十二滝村と改められた。人々の主食はあいかわらずイナキビ飯だったが、時折はそれに白米も混じるようになった。不定期的ではあるにせよ郵便配達夫も姿を見せるようになった。

もちろん不快な出来事もないではない。役人がしばしば姿を見せ、税の徴収と徴兵を行うようになった。それをとくに不快に感じたのはアイヌの青年（彼はその頃もう三十代半ばになっていた）だった。彼には納税や徴兵の必要性がどうしても理解できなかったのだ。

「どうも昔の方が良かったような気がするな」と彼は言った。

それでも村は発展しつづけた。

明治三十五年には村のすぐ近くにある台地が牧草地として適していることがわかり、そこに村営の緬羊《めんよう》牧場が作られた。道庁から役人がやってきて、柵の作り方や水の引き方、牧舎の建築などを指導した。次いで川沿いの道が囚人工夫によって整備され、やがて政府からただ同然の値段で払い下げられた羊の群れがその道を辿ってやってきた。農民たちはどうして政府がそのように自分たちに親切にしてくれるのか、さっぱりわけがわからなかった。多くの人々は、これまでずいぶん苦労したんだから、まあたまには良いこともあるのさと考えた。

もちろん政府は親切心から農民に羊を与えたわけではない。来るべき大陸進出に備えて防寒用羊毛の自給を目指す軍部が政府をつつき、政府が農商務省に緬羊飼育拡大を命じ、農商務省が道庁にそれを押しつけたというだけの話である。日露戦争は迫りつつあったのだ。

村で緬羊にもっとも興味を持ったのは例のアイヌ青年であった。彼は道庁の役人について緬羊の飼育法を習い、牧場の責任者となった。彼がどうしてそのように羊に興味を持つようになったのかはよくわからない。たぶん人口増加に伴って急激に入り組み始めてきた村の集団生活にうまくなじめなかったのだろう。

牧場に来たのはサウスダウン羊三十六頭とシュロップシャー羊二十一頭、それにボーダー・コリー犬が二匹だった。アイヌ青年はすぐに有能な羊飼いとなり、羊と犬は毎年増えつづけた。彼は羊と犬を心から愛するようになった。役人は満足した。仔犬たちは優良牧羊犬として各地の牧場に引き取られていった。

日露戦争が始まると村からは五人の青年が徴兵され、中国大陸の前線に送られた。彼らは五人とも同じ部隊に入れられたが、小さな丘の争奪戦の際に敵の榴弾が部隊の右側面で破裂し、二人が死に、一人が左腕を失った。戦闘は三日後に終り、残りの二人がばらばらになった同郷の戦死者の骨を拾い集めた。彼らはみな第一期と第二期の入殖者たちの息子だった。戦死者の一人は羊飼いとなったアイヌ青年の長男だった。彼らは羊毛の軍用外套を着て死んでいた。

「どうして外国まででかけていって戦争なんかするんですか？」とアイヌ人の羊飼いは人々に訊ねてまわった。その時彼は既に四十五になっていた。

誰も彼の問いには答えてはくれなかった。アイヌ人の羊飼いは村を離れ、牧場にこもって羊と寝起きを共にするようになった。妻は五年前に肺炎をこじらせて死んでいたし、残された二人の娘も既に嫁いでいたのだ。村は羊の世話をする報酬として彼に幾許《いくばく》かの給金と食料を与えた。

彼は息子を失くしてからはすっかり気むずかしい老人となり、六十二で死んだ。羊の世話を手伝っていた少年がある冬の朝、牧舎の床の上に横たわった彼の死体を発見した。凍死だった。初代のボーダー・コリーの孫にあたる犬が二匹彼の死体の両わきで絶望的な目をしてくんくんと鼻を鳴らしていた。羊たちは何も知らずに柵の中に敷きつめられた草を食べていた。羊たちが歯をかみあわすかたかたという音が静かな牧舎の中にカスタネットの合奏のように響きわたっていた。

十二滝町の歴史はまだ続いていたが、アイヌ青年にとっての歴史はそこで終っていた。僕は便所に立ってビール二缶ぶんの小便をした。席に帰ってみると、彼女は目覚めていて、窓の外の風景をぼんやりと眺めていた。窓の外には水田が広がっていた。時折サイロの姿も見えた。川が近づき、そして去っていった。僕は煙草を吸いながら風景と、その風景を眺めている彼女の横顔をしばらく眺めていた。彼女はひとこともしゃべらなかった。僕は煙草を吸い終るとまた本に戻った。鉄橋の影が本の上でちらちらと揺れた。

羊飼いの老人となって死んだ薄幸のアイヌ青年の物語が終ってしまうと、あとの歴史はかなり退屈なものだった。ある年に鼓脹症で十頭の羊が死んだり、冷害で稲作が一時的打撃を受けたことを別にすれば、村は順調に発展しつづけ、大正時代には町に昇格した。町は豊かになり、ますます整備されていった。小学校が建設され、町役場ができ、郵便局の出張所もできた。北海道の開拓はほぼ終了したのである。

耕地は限界に達し、零細農民の息子たちの中には満州や樺太に新天地を求めて町を出ていくものも現われるようになった。昭和十二年の項には羊博士の記事もあった。農林省技官として朝鮮及び満州において研鑽を積んだ……氏（三十二歳）は故あって退官し、十二滝町の北方山上の盆地に緬羊牧場を開いた、とある。羊博士に関する記事はあとにも先にもそれだけだった。この本の著者である郷土史家も昭和に入ってからの町の歴史には相当退屈していたらしく、記述も断片的で紋切型になっていた。文体もアイヌ青年を扱っていた頃に比べればずっと瑞々《みずみず》しさを失っていた。

僕は昭和十三年から四十四年までの三十一年間をとばし、「現在の町」という項を読むことにした。しかしこの本の考える「現在」とは一九七〇年のことであって、本当の現在ではない。本当の現在とは一九七八年十月のことである。しかしひとつの町の通史を書くからにはやはり最後に「現在」を持ってくる必要に迫られる。たとえその現在がすぐに現在性を失うとしても、現在が現在であるという事実は誰にも否定できないからである。現在が現在であることをやめてしまえば歴史は歴史でなくなってしまう。

「十二滝町の歴史」によれば、一九六九年の四月の時点での町の人口は一万五千、十年前に比べれば六千人も少くなっており、その減少ぶんの殆んどは離農者である。高度成長下の産業構造の変化に加えて、寒冷地農業という北海道の特殊性があり、そのために異様なほど高い離農率を示した、とある。

それでは彼らの離れたあとの農地はどうなったか？　林地になったのである。曾祖父たちが血の汗を流して木を切り倒して開墾した土地に、子孫たちはまた木を植えることになった。不思議なものだ。

というわけで、現在の十二滝町の主要産業は林業と木材加工である。町には幾つかの小さな製材工場があり、人々はそこでテレビジョンの木枠や鏡台やみやげものの熊やアイヌの人形を作っている。かつての共同小屋は、今では開拓資料館になっていて、そこには当時の農具や食器が展示されている。日露戦争で戦死した村の青年たちの遺品もある。ヒグマの歯型のついた弁当箱もある。故郷の村に借金取りの消息を問いあわせた手紙も残っている。

しかし正直なところ、現在の十二滝町はおそろしく退屈な町である。おおかたの町民は仕事から家に帰ると、一人平均四時間テレビを観て眠る。選挙の投票率は結構高いが、当選する人物ははじめからわかっている。町のスローガンは「豊かな自然の中の豊かな人間性」である。少くとも駅前にそういう看板が立っている。

僕は本を閉じてからあくびをし、そして眠った。

2　十二滝町の更なる転落と羊たち

我々は旭川で列車を乗り継ぎ、北に向って塩狩峠を越えた。九十八年前にアイヌの青年と十八人の貧しい農民たちが辿ったのとほぼ同じ道のりである。秋の日差しが原生林の名残りや燃えるように赤く紅葉したななかまどをくっきりと照らし出していた。空気はしんと澄みきっていた。じっと眺めていると目が痛くなってくるほどだった。

列車は始めのうちは空いていたが、途中から通学する高校生の男女でぎっしりと満員になり、彼らのざわめきや歓声やふけの匂いやわけのわからない話ややりどころのない性的欲望で溢《あふ》れた。そんな状況が三十分ばかり続いてから、彼らはどこかの駅で一瞬にして消滅した。そして列車は再びがらんとして、話し声ひとつ聞こえなくなった。

僕と彼女は半分ずつ分けたチョコレートをかじりながら、それぞれに外の風景を眺めていた。光は静かに地表に降り注いでいた。まるで望遠鏡を反対からのぞき込んでいる時のように、いろんなものがずっと遠くに感じられた。彼女はしばらくかすれた口笛で「ジョニー・B・グッド」のメロディーを小さく吹いていた。我々はこれまでにないくらい長く黙っていた。

列車を下りたのは十二時過ぎだった。プラットフォームに下り立つと、僕は思い切り体を伸ばして深呼吸をした。肺が縮み上がりそうなほど空気は澄んでいた。太陽の光は暖かく肌に心地良かったが、気温は札幌より確実に二度は低かった。

線路沿いに煉瓦《れんが》造りの古い倉庫が幾つも並び、そのわきには直径三メートルはある丸太がピラミッド型に積み上げられ、昨夜の雨を吸い込んで黒く染まっていた。我々を乗せてきた列車が出発してしまうともうあとには人影もなく、花壇のマリゴールドだけが冷ややかな風に揺れていた。

プラットフォームから見える街は典型的な小規模の地方都市だった。小さなデパートがあり、ごたごたとしたメイン・ストリートがあり、十系統ばかりのバス・ターミナルがあり、観光案内所があった。見るからに面白味のなさそうな街だった。

「ここが目的地なの？」と彼女が訊ねた。

「いや、違うよ。ここでもうひとつ列車を乗り換えるんだ。我々の目的地はこれよりずっとずっと小さい街さ」

僕はあくびをしてからもう一度深呼吸をした。

「ここはいわば中継地点なんだよ。ここで最初の開拓者たちは東に向きを変えたんだ」

「最初の開拓者って？」

僕は待合室の火の点《つ》いていないストーブの前に座り、次の列車が来るまで彼女に十二滝町の歴史をかいつまんで話した。年号がややこしくなったので、「十二滝町の歴史」の巻末資料をもとにノートの白いページを使って簡単な年表を作った。ノートの左側に十二滝町の歴史を、右側に日本史上の主な出来事を書き込んだ。なかなか立派な歴史年表になった。

たとえば一九〇五年／明治三十八年には旅順が開城し、アイヌ青年の息子が戦死していた。僕の記憶によればそれはまた羊博士の生まれた年でもあった。歴史は少しずつどこかでつながっていた。

「なんだかこうしてみると、日本人って戦争のあいまに生きてきたみたいね」と彼女は年表の左右を見比べながら言った。

「みたいだね」と僕は言った。

「どうしてそんなことになってしまったの？」

「ちょっと複雑なんだ。ひとことじゃ言えない」

「ふうん」

　待合室は大方の待合室がそうであるようにがらんとして味も素気《そっけ》もなかった。ベンチはおそろしく座りにくく、灰皿には水を吸い込んだ吸殻がぎっしりとつまっていて、空気が澱《よど》んでいた。壁には何枚かの観光地のポスターと指名手配のリストが貼られていた。我々の他にはらくだ色のセーターを着た老人と、四歳くらいの男の子をつれた母親がいるだけだった。老人は一度決めた姿勢をぴくりとも変えずに小説雑誌に読み耽《ふけ》っていた。まるで絆創膏《ばんそうこう》をむしりとるような感じでページをめくった。一ページめくってから次のページをめくるまでに十五分くらいかかった。親子づれは倦怠期の夫婦のように見えた。

「結局みんな貧乏で、うまくいけば貧乏から抜けだせるんじゃないかって気がしてたんだろうね」と僕は言った。

「十二滝町の人たちみたいに？」

「そう。だからみんな死にもの狂いで畑を耕したんだ。でも殆《ほと》んどの開拓者は貧乏なまま死んだ」

「どうして？」

「土地のせいだよ。北海道は寒い土地だから何年かに一度必ず冷害にみまわれるんだ。作物が取れないと自分たちの食べるものもなくなるし、収入もないから石油も買えないし、来年のための種や苗も買えない。だから土地を担保に高利貸から金を借りる。しかしその利子を払えるほどこの地域の農業の生産性は高くない。結局は土地を取りあげられてしまう。そんな風にして多くの農民が小作農に転落していったんだ」

僕は「十二滝町の歴史」のページをぱらぱらと繰《く》った。

「昭和五年には十二滝町の人口に占める自作農の割合は四十六パーセントにまで落ちこんでいる。昭和の始めに大不況と冷害がかさなったんだ」

「せっかく苦労して土地を開拓して畑を作ったのに、とうとう借金からは逃げ切れなかったのね」

四十分ばかり時間があったので彼女は一人で街の散歩にでかけた。僕は待合室に残ってコカ・コーラを飲みながら読みかけていた本のページを開いたが、十分試みてからあきらめて本をポケットに戻した。頭には何も入らなかった。僕の頭の中には十二滝町の羊たちがいて、僕がそこに送り込む活字をかたかたと音を立てながらかたっぱしから食べていった。僕は目を閉じてため息をついた。通り過ぎていく貨物列車が汽笛を鳴らした。

列車が発車する十分前に彼女がりんごを一袋買って帰ってきた。我々はそれを昼食代りに食べてから列車に乗り込んだ。

列車はまさに廃車寸前というところだった。床板はやわらかい部分から波形に擦り減っていて、通路を歩くと体が左右に揺れた。シートのけばは殆んど消え失せ、クッションは一ヵ月前のパンみたいだった。便所と油の匂いがいりまじった宿命的な空気が車内を支配していた。僕は十分かけて窓を押し上げ、しばらく外の空気を入れたが、列車が走り出すと細かい砂がとび込んできたので開ける時と同じくらいの時間をかけてまた窓をしめた。

列車は二両編成で、全部で十五人ばかりの乗客が乗っていた。そしてその全員が無関心と倦怠という太い絆でしっかりと結びつけられていた。らくだ色のセーターの老人はまだ雑誌を読みつづけていた。彼の読書スピードからすれば三ヵ月前の号だとしても不思議はない。太った中年の女はスクリャービンのピアノ・ソナタに聴き入っている音楽評論家のような顔つきでじっと空間の一点を睨《にら》んでいた。僕はそっと彼女の視線を追ってみたが空間には何もなかった。

子供たちもみんな静かだった。誰も騒がず、誰も走りまわらず、外の風景を見ようとさえしなかった。誰かが時折ミイラの頭を火箸で叩いているような乾いた音をたてて咳をした。

列車が駅に停まるごとに誰かが降りた。誰かが降りると車掌も一緒に下りて切符を受け取り、車掌が乗ると列車は発車した。覆面をかぶらなくても十分銀行強盗ができそうなくらい無表情な車掌だった。新しい乗客は誰も乗らなかった。

窓の外には川が続いていた。川は雨を集めて茶色く濁っていた。秋の太陽の下でそれはキラキラと光るカフェ・オ・レの放水路のように見えた。川に沿って舗装道路が見えかくれしていた。時折木材を積んだ巨大なトラックが西に向けて走っていくのが見えたが、全体とすれば交通量はごくひっそりとしたものだった。道路に沿って並んだ広告板はがらんとした空白に向けてあてのないメッセージを送りつづけていた。僕は退屈しのぎに次から次へと表われるスマートで都会的な匂いのする広告板を眺めていた。そこでは日焼けしたビキニの女の子がコカ・コーラを飲んでいたり、中年の性格俳優が額にしわをよせてスコッチのグラスを傾けていたり、ダイバーズ・ウォッチが派手に水をかぶっていたり、おそろしいほど金をかけたスマートな部屋の中でモデルが爪にマニキュアを塗っていたりしていた。広告産業という名の新しい開拓者たちは実に手際良くその大地を切り開いているようだった。

列車が終点である十二滝町の駅に着いたのは二時四十分だった。我々は二人ともいつのまにかぐっすり寝込んでいて、駅名のアナウンスを聞きのがしてしまったようだった。ディーゼル・エンジンが最後の一息をしぼり出すように排出してしまうと、そのあとには完全な沈黙がやってきた。皮膚がひりひりと痛みそうな沈黙が僕の目を覚ました。気がつくと車内には我々の他に乗客の姿はなかった。

僕はあわてて網棚から二人ぶんの荷物を下ろすと彼女の肩を何度か叩いて起こし、列車を降りた。プラットフォームを吹く風には既に秋の終りを思わせる冷ややかさがあった。太陽は早くも中空を滑り下りて、黒々とした山の影を宿命的なしみのように地面に這《は》わせていた。方向を異にするふたつの山なみが町の眼前で合流し、マッチの炎を風からまもるためにあわせられた手のひらのように町をすっぽりと包んでいた。細長いプラットフォームはそびえ立つ巨大な波にまさにつっこんでいこうとする貧弱なボートだった。

我々はあっけにとられて、しばらくそんな風景を眺めていた。

「羊博士の昔の牧場はどこにあるの？」と彼女が訊ねた。

「山の上だよ。車で三時間かかる」

「今からすぐに行くの？」

「いや」と僕は言った。「今から行くと夜中になっちゃうからね。今日はどこかに泊まって明日の朝出発する」

駅の正面にはがらんとして人気のない小さなロータリーがあった。タクシー乗り場にはタクシーの姿はなく、ロータリーのまんなかにある鳥の形をした噴水には水がなかった。鳥はくちばしを開いたままなんということもなく無表情に空を見上げていた。噴水のまわりをマリゴールドの花壇が丸くとり囲んでいた。町が十年前より遥《はる》かにさびれていることは一目でわかった。通りには人の姿は殆《ほと》んどなく、たまにすれ違う人々はさびれた町に住む人々特有のとりとめのない表情を浮かべていた。

ロータリーの左手には輸送を鉄道に頼っていた時代に建てられた古い倉庫が半ダースばかり並んでいた。古い煉瓦造りで屋根は高く、鉄の扉は何度も塗りなおされたあとで、あきらめて放り出されていた。倉庫の屋根には巨大なからすが一列に並び、無言で町を見下ろしていた。倉庫の隣りの空地にはせいたかあわだち草が密林のように茂り、そのまんなかに古い自動車が二台雨ざらしになっていた。どちらの車にもタイヤはなく、ボンネットは開けられて内臓をひきずり出されていた。

閉鎖されたスケートリンクのようなロータリーには町の案内板が立っていたが、殆んどの文字は風雨にさらされて判読できなかった。きちんと読みとることができたのは「十二滝町」という文字と「大規模稲作北限地」という文句だけだった。

ロータリーの正面には小さな商店街があった。商店街はたいていの町の商店街と同じようなものだったが、道路だけがいやに広く、それが町の印象を一層寒々しいものにしていた。広い道路の両側に並んだななかまどは鮮やかに紅葉していたが、寒々しさに変りはなかった。それは街の運命とは無関係にそれぞれの生命を気の向くままに楽しんでいた。そこに住む人々とそのささやかな日々の営みだけが寒々しさの中にすっぽりとのみこまれていた。

僕はリュックを背負って五百メートルほどの商店街を端まで歩き、旅館を探した。旅館はなかった。商店の三分の一はシャッターを閉ざしていた。時計屋の店先の看板が半分はずれて、ぱたぱたと風に揺れていた。

商店街がぷつんと切れたところに雑草の茂った広い駐車場があり、クリーム色のフェアレディーとスポーツ・タイプの赤いセリカが駐車していた。どちらも新車だった。不思議な気がしたが、その無個性な新しさはがらんとした町の雰囲気に合ってなくもなかった。

商店街の先には殆んど何もなかった。広い道はゆるい坂になって川まで下り、川にぶつかったところでT字形に左右に分れていた。坂の両脇には平屋建ての小さな木造家屋が並び、ほこりっぽい色をした庭木が空に向けてごつごつとした枝を突き出していた。どの木も何かしら奇妙な枝の払われ方をしていた。どの家の玄関にも大きな石油タンクと揃いの牛乳箱が取り付けられていた。どの屋根にもあきれるくらい高いテレビ・アンテナが立っていた。テレビ・アンテナは町の背後にそびえたつ山なみに挑むように、その銀色の触手を空中にはりめぐらしていた。

「旅館なんて無いんじゃない？」と彼女が心配そうに言った。

「大丈夫だよ。どんな町にも必ず旅館はあるさ」

我々は駅に引き返して駅員に旅館の場所を訊ねた。親子ほど年の違う二人の駅員は死ぬほど退屈していたらしく、おそろしく丁寧《ていねい》に旅館の場所を説明してくれた。

「旅館は二つあるんだ」と年取った方が言った。「ひとつはわりに高くて、ひとつはわりに安い。高い方は道庁の偉いさんが来た時とか、改まった宴会をやる時に使うんだ」

「食事はなかなか良いよ」と若い方が言った。

「もうひとつの方は行商人とか、若い人とか、まあごく普通の人が泊まるね。見ばえは悪いけど、不潔とかそういうんじゃないな。風呂はなかなかのもんだよ」

「でも壁が薄いね」と若い方が言った。

それからひとしきり壁の薄さについての二人の議論がつづいた。

「高い方にしますよ」と僕は言った。封筒の金はまだずいぶん残っていたし、節約しなければならない理由は何もなかった。

若い方の駅員がメモをちぎって旅館までの道を書いてくれた。

「どうもありがとう」と僕は言った。「でも十年前に比べると、ずいぶん町も淋しくなりましたね」

「うん、そうだねえ」と年取った方が言った。「木材工場は今ひとつだし、これといった産業もないし、農業はしりすぼみだし、人口も減っちまったよな」

「なにしろ学校のクラス編成も上手《うま》くできねえってたもんな」と若い方がつけ加えた。

「人口はどれくらいなんですか？」

「約七千って言ってるけど、本当はそんなにもいないさ。五千ってとこじゃねえかな」と若い方が言った。

「この線だってさ、あんた、いつなくなるかわかんねえよ。なにせ全国で三位の赤字線だもんな」と年取った方が言った。

これよりさびれた線が二つもあることの方が驚きだったが、僕は礼を言って駅を離れた。

旅館は商店街の先の坂道を下り、右に曲って三百メートルほど進んだ川沿いにあった。感じの良い古い旅館で、町にまだ活気があった当時の面影が残っていた。川に向って、よく手入れされた庭が広がり、その隅ではシェパードの仔犬が食器に顔をつっこんで早めの夕食を食べていた。

「登山ですか？」と部屋に案内してくれた女中が訊ねた。

「登山です」と僕は簡単に言った。

二階には部屋は二つしかなかった。広い部屋で、廊下に出ると列車の窓から見たのと同じカフェ・オ・レ色の川が見下ろせた。

彼女が風呂に入りたいと言ったので、僕はそのあいだに一人で町役場に行ってみることにした。町役場は商店街を二本西にそれたがらんとした通りにあったが、想像していたよりずっと新しくきちんとした建物だった。

僕は町役場の畜産課の窓口で二年ばかり前フリーライターのまねごとをしていた時に使っていた雑誌名入りの名刺を出して、緬羊飼育についてうかがいたいのですが、と切り出した。女性週刊誌で緬羊の取材をするというのも妙な話だったが、相手はすぐに納得して中に通してくれた。

「町には現在二百頭あまりの緬羊がおりまして、全部サフォークです。つまり食肉用ですね。肉は付近の旅館や飲食店に出荷されていまして、非常に好評です」

僕は手帳をひっぱり出して適当にメモを取った。おそらく彼はこれから何週間かこの女性週刊誌を買いつづけることだろう。そう思うと心が暗くなった。

「料理か何かのことで？」ひとしきり緬羊飼育の状況を話してくれたあとで相手が訊ね

た。

「それもあります」と僕は言った。「しかしどちらかといえば羊の全体像を捉えるのが我々のテーマです」

「全体像？」

「つまり性格や生態、そんなものです」

「ほう」と相手は言った。

僕は手帳を閉じて、出された茶を飲んだ。「山の上に古い牧場があると聞いたんですが？」

「ええ、ありますよ。戦前まではちゃんとした牧場だったんですが、戦後米軍に接収されましてね、今は使われてませんよ。返還後十年ばかりはどこかのお金持ちが別荘として使っていたんですが、なにしろ交通の便が悪いものですから、そのうちに誰も来なくなって空家同然ですね。だから町に貸与してもらっています。本当は買い取って観光牧場にでもすればいいんでしょうが、貧乏な町ではどうしようもないですね。まず道路整備が必要ですしね」

「貸与？」

「夏には町の緬羊牧場のものが五十頭ばかり羊を連れて山に上ります。牧場としてはなかなか良い牧場ですし、町営の牧草地だけでは草が足りないものですから。それで九月の後半になって天候が崩れ始めるとまた羊をつれて帰ってくるんです」

「その羊のいる時期はわかりますか？」

「年によって若干の移動はありますが、五月の始めから九月半ばというところですね」

「羊を連れていく人間は何人ですか？」

「一人です。この十年ばかり同じ人間がそれをつづけてやっています」

「その人に会ってみたいですね」

職員は町営の緬羊飼育場に電話をかけてくれた。

「今からいらっしゃれば会えますよ」と彼は言った。「車で送りましょう」

僕は始めのうちは断ったが、よく聞いてみると車で送ってもらう以外に飼育場に行く方法はなかった。町にはタクシーもレンタ・カーもなく、歩けば一時間半かかった。

職員の運転してくれる軽自動車は旅館の前を通りすぎて西に向った。そして長いコンクリートの橋をわたって、寒々しい湿地帯を抜け、山に入るゆるやかな坂道を上っていった。タイヤのまきあげる砂利がぱちぱちと乾いた音を立てた。

「東京からいらっしゃると、死んだ町みたいに見えるでしょう？」と彼は言った。

僕は曖昧《あいまい》な返事をした。

「でも実際に死にかけてるんですよ。鉄道のあるうちはまだ良いけれど、なくなってしまえば本当に死んでしまうでしょうね。町が死んでしまうというのは、どうも妙なもんです。人間が死ぬのはわかる。でも町が死ぬというのはね」

「町が死ぬとどうなるんですか？」

「どうなるんでしょうね？　誰にもわからんのです。わからないままにみんな町を逃げ出していくんですよ。もし町民が千人を割ったら——ということも十分あり得ることなんですが——我々の仕事も殆《ほと》んどなくなってしまいますからね、我々も本当は逃げ出すべきなのかもしれない」

僕は彼に煙草を勧め、羊の紋章入りのデュポンのライターで火をつけてやった。

「札幌に行けば良い仕事があるんですよ。叔父が印刷会社をやっていて、人手が足りないんです。学校相手の仕事ですから経営も安定してますしね。本当はそれがいちばん良いんですよ。こんなところで羊や牛の出荷頭数を調べてるよりね」

「そうですね」と僕は言った。

「でもいざ町を出ようと思うと駄目なんです。わかりますか？　町というのが本当に死んでしまうものなら、その死ぬところをこの目で見ておきたいという気持の方が強いんですね」

「あなたはこの町の生まれですか？」と僕は訊ねてみた。

「そうです」と彼は言って、それっきり何もしゃべらなかった。陰鬱《いんうつ》な色あいの太陽が三分の一ばかり山に沈んでいた。

緬羊飼育場の入口には二本のポールが建っていて、ポールのあいだに「十二滝町営緬羊飼育場」という看板がわたされていた。看板をくぐると坂道があり、坂道は紅葉した雑木林の中に消えていた。

「林を抜けると牧舎があって、管理人の住居はその裏にあります。帰りはどうしますか？」

「下りだから歩けますよ。どうもありがとう」

車の姿が見えなくなってしまってから、僕はポールのあいだを抜け、坂道を上った。太陽の最後の光が黄色く染ったかえでの葉にオレンジの色どりを加えていた。樹々は高く、まだらの光が林を抜ける砂利道の上にちらちらと揺れていた。

林を抜けると丘の斜面に細長い牧舎が見え、家畜の匂いがした。牧舎の屋根は駒形屋根《マンサード》の赤いトタン貼りで、通風のための煙突が三個ついていた。

牧舎の入口には犬小屋があり、鎖でつながれた小柄なボーダー・コリーが僕の姿を見て二、三度吠えた。眠そうな目をした年老いた犬で、吠え方に敵意はなく、首のまわりを撫でてやるとすぐにおとなしくなった。犬小屋の前には餌と水が入った黄色いプラスチックのボウルが置いてあった。犬は僕が手を放すと、そのまま満足して犬小屋の中に戻り、前足をきちんと揃えて床に伏せた。

牧舎の中は薄暗く、人影はなかった。中央にコンクリートの床の太い通路があり、その両側が羊を閉じこめるための柵になっていた。通路の両わきには羊の小便や清掃の水を流すためのU字溝がとおっていた。木貼りの壁にはところどころにガラス窓がついていて、そこから山の稜線が見えた。夕陽が右側の羊たちを赤く染め、左側の羊たちに青くすんだ影を投げかけていた。

僕が牧舎に入ると、二百頭の羊たちは一斉に僕の方を向いた。半分ばかりの羊は立ち、あとの半分は床に敷きつめられた枯草の上に座っていた。彼らの目は不自然なほど青く、まるで顔の両端に湧き出した小さな井戸のように見えた。それは正面から光を受けると義眼のようにきらりと光った。彼らはじっと僕を見つめていた。誰も身動きひとつしなかった。何頭かは口の中に入れた枯草をかたかたという音を立てて嚙みつづけていたが、それ以外には物音ひとつしなかった。何頭かは柵から頭をつきだして水を飲んでいたが、彼らは水を飲むのをやめて、そのままの姿勢で僕を見上げていた。彼らはまるで集団で思考しているように見えた。彼らの思考は僕が入口に立ち止まっていることで一時中断していた。何もかもが停止し、誰もが判断を保留していた。僕が動き始めると、彼らの思考作業も再開された。八つに分断された柵の中で羊たちは動き始めた。牝を集めた囲いの中では牝たちは種牡のまわりに集まり、牡羊だけの囲いの中では彼らはあとずさりしながらそれぞれに身構えた。好奇心の強い何頭かだけが柵から離れずにじっと僕の動きを見つめていた。

羊たちは顔の両側に水平につきだした黒く細長い耳にプラスチックのチップをつけてい た。ある羊は青いチップをつけ、ある羊は黄色いチップをつけ、ある羊は赤いチップをつけていた。彼らは背中にもカラー・マーカーで大きなしるしをつけられていた。

僕は羊を怯《おび》えさせないように、音を立てずにゆっくりと歩いた。そしてなるべく羊に関心がない風を装って柵に近づき、そっと手をのばして一頭の若い牡羊に手を触れた。羊はぴくりと身を震わせたただけで逃げなかった。他の羊たちは疑ぐり深そうにじっと羊と僕の姿を眺めていた。若い牡羊はまるで群れ全体からそっとさしだされた不確かな触手でもあるかのように、緊張して僕を見つめ、体をこわばらせていた。

サフォークはどこかしら奇妙な雰囲気のある羊だ。何もかもが黒く、体毛だけが白い。耳は大きく、それが蛾の羽のように真横につきだしている。暗闇に光る青い目とはりのある長い鼻梁にはどことなく異国的な趣きがあった。彼らは僕の存在を拒否するでもなく受け入れるでもなく、いわば一時的に与えられた情景として眺めていた。何頭かの羊が音を立てて勢い良く小便をした。小便は床をつたってU字溝に流れこみ、僕の足もとを通り過ぎていった。太陽は山の後ろに没し去ろうとしていた。淡い藍色の闇が水で溶いたインクのように山の斜面を覆っていた。

僕は牧舎を出るとボーダー・コリーの頭をもう一度撫でてから深呼吸し、牧舎の裏にまわり、小川にかけられた木の橋を渡って管理人の住居に向った。管理人の家はこぢんまりとした平屋建てで、隣りには牧草や農具を入れるための巨大な納屋が付いていた。家よりは納屋の方がずっと大きい。

管理人は納屋の横にある幅一メートル、深さ一メートルほどのコンクリートの溝のわきに消毒薬のビニール袋を積み上げていた。彼は近づいていく僕の姿を遠くから一度ちらりと眺め、それっきりたいした関心もなさそうに作業を続けていた。僕が溝まで辿りつくと、彼はやっと手を休めて首に巻いたタオルで顔の汗を拭いた。

「明日羊を全部消毒することになってるんだ」と男は言った。そして作業着のポケットからくしゃくしゃになった煙草を出して、指でのばしてから火をつけた。「ここに消毒液をはって、かたっぱしから羊を泳がせるんだよ。でないと冬ごもりのあいだに虫だらけになっちまうからね」

「一人でやるんですか?」

「まさか。手伝いが二人来るよ。それとあたしと犬とでやるんだ。犬がいちばんよく働くよ。羊も犬のことは信用してるしね。羊に信用されなきゃ牧羊犬にはなれないからね」

男は背は僕より五センチほど低かったが、がっしりとした体つきをしていた。年は四十代後半で、短かく切った固い髪はまるでヘア・ブラシのようにまっすぐだった。彼は作業用のゴム手袋を皮膚でもひきはがすみたいに指から抜きとり、ぱんぱんと腰のところで払ってからズボンのパッチ・ポケットにつっこんだ。緬羊の飼育係というよりは、新兵教育係の下士官みたいに見えた。

「ところで何か訊きたいらしいね」

「そうです」

「訊いてくれよ」

「このお仕事は長いんですか？」

「十年」と男は言った。「長いとも言えるし、長くないとも言える。でも羊のことならなんでも知ってるよ。その前は自衛隊に居たんだ」

彼は手拭いを首にまいて空を見上げた。

「冬のあいだはずっとここにいるんですか？」

「まあな」と男は言った。「まあ、そうだな」咳払い。「他に行くところもなし、それに冬は冬で結構雑用も多いんだ。このあたりは二メートル近く雪が積るし、放っとくと屋根が落ちて羊がぺしゃんこになっちまうからね。餌もやらなくちゃならんし、牧舎の掃除もあるし、何やかやさ」

「それで夏になると羊を半分連れて山に上るんですね」

「そうだ」

「羊を連れて歩くのはむずかしいんですか？」

「簡単さ。人間は昔からずっとそうしてきたんだ。羊飼いが放牧場に定着したのはつい最近のことでね、その前は年じゅう羊を連れて旅してたんだ。十六世紀のスペインでは羊追いしか使えない道が国中にはりめぐらされていて、王様もそこには入れなかったんだ」

男は地面に痰を吐き、作業靴の底でこすりつけた。

「とにかく羊は怯えさえしなきゃ大人しい動物なんだ。犬のあとを何も言わず黙ってついていくよ」

僕はポケットから鼠が送ってきた写真を出して男に渡した。「これが山の上の牧場ですね？」

「そうだ」と男は言った。「間違いないよ。羊もうちの羊だな」

「これはどうですか？」僕はボールペンの先で背中に星の印のついたずんぐりとした羊を

指した。

男は写真をしばらく睨んだ。「これは違うね。うちの羊じゃない。でもおかしいな。こんなのが紛れ込むわけがないんだ。まわりは全部ワイヤで囲ってあるし、朝と夕方には俺が一匹ずつチェックしてるし、変なのが入ってくれば犬が気づく。羊もさわぐ。だいいち、こんな種類の羊は生まれてこのかた見たことがないよ」

「今年の五月に羊を山にあげてから帰ってくるまで何も変ったことは起りませんでしたか？」

「何も起こらないよ」と男は言った。「平和なもんさ」

「あなた一人で山に一夏いたわけですね？」

「一人じゃないよ。二日に一度は町の職員も来るし、役人が視察に来ることもある。週に一日は俺が町におりて、代わりのものが羊の世話をするんだ。食料やら雑貨品やらも補充しなくちゃいけないしね」

「じゃあ一人っきりで山にこもるというのでもないんですね？」

「そりゃそうさ。雪さえ積らなきゃ、牧場まではジープで一時間半もありゃ着くんだよ。散歩のようなもんさ。もっとも一度雪が積っちまうと車は使えなくなるから、それこそ冬ごもりだな」

「今は山の上には誰もいないんですね？」

「別荘の持ち主以外はね」

「別荘の持ち主？別荘はもうずっと使われてないって聞いたけど」

管理人は煙草を地面に捨てて、靴で踏み消した。「ずっと使われてなかったんだよ。でも今は使われてる。使おうと思えばいつでも使えるんだ。家屋の方の手入れは、俺がきちんとやってきたしね。電気もガスも電話もすぐに使えるし、窓ガラス一枚割れていない」

「役場の人はあそこには誰もいないって言ってましたよ」

「あいつらの知らんことはいっぱいあるさ。俺は町の仕事とは別に別荘の持ち主にずっと個人的に雇われてるわけだし、余計なことは誰にも言わないよ。しゃべるなって言われてんだ」

男は作業着のポケットから煙草を取り出そうとしたが箱は空っぽだった。僕は半分ばかり吸ったラークの箱に二つ折りにした一万円札を添えて彼に差し出した。男はしばらくそれを眺めてから受け取り、煙草を一本口にくわえてから残りを胸のポケットにつっこんだ。「悪いな」

「で、持ち主はいつから来たんですか？」

「春。雪溶けがまだ始ってないころだから三月だね。来たのはもう五年ぶりかな？　なんで今頃になって来るのかはわからんけど、まあそれは持ち主の勝手で、あたしらの口出すことじゃないもんな。誰にも言わんでくれということだから事情でもあるんだろうよ。とにかくそれからずっと上にいるよ。食料品や石油なんかは俺がこっそり買って、ジープで少しずつ届けてるんだ。あれだけストックがありゃ、あと一年は持つね」

「その男は僕と同じくらいの年で、ひげをはやしてませんか」

「うん」と管理人は言った。「そのとおりだ」

「やれやれ」と僕は言った。写真を見せるまでもない。

3　十二滝町の夜

管理人との交渉は金を払ったことで実にスムーズに運んだ。管理人は明くる朝の八時に我々を旅館に迎えに来て、山の上の牧場まで送ってくれることになった。

「ま、羊の消毒は午後からで間に合うだろう」と管理人は言った。実にきっぱりとしていて現実的だった。

「でもひとつだけ気になるんだ」と彼は言った。「昨日の雨で地盤が弱くなっててね、一ヵ所車が通れないところがあるかもしれん。で、その時は歩いてもらうことになるよ。それは俺のせいじゃないからね」

「いいですよ」と僕は言った。


帰りの山道を歩きながら、僕は鼠の父親が北海道に別荘を持っていたことをやっと思い出した。昔、鼠がそれについて何度か僕に話してくれた。山の上、広い草原、古い二階建ての家。いつも僕はずっとあとになってから大事なことを思い出す。最初に手紙を受け取った時にそれをすぐ思い出すべきだったのだ。最初に思い出してさえいれば、いくらでも調べようはあったのだ。

僕は自分にうんざりしながら、刻一刻と暮れていく山道をとぼとぼと町まで歩いた。一時間半のあいだに三台の車に会っただけだった。二台は木材を積んだ大型トラックで、一台は小型のトラクターだった。三台とも下りだったが、誰も乗っていかないかと声をかけてはくれなかった。もっともその方が僕にとってもありがたかった。

旅館に辿りついたのは七時過ぎで、あたりはもう真暗だった。体が芯まで冷えていた。シェパードの仔犬は犬小屋から首を出して、僕に向ってくんくんと鼻を鳴らした。彼女はブルージーンに僕の丸首セーターを着て、入口の近くにあるゲーム室でテレビ・ゲームに夢中になっていた。ゲーム室は古い応接室を改造したものらしく、なかなか立派なマントル・ピースが残っていた。薪を焚く本物のマントル・ピースだった。部屋にはテレビ・ゲームが四台とピンボールが二台あったが、ピンボールはもう手のつけようもないくらい古い安物のスペイン製だった。

「おなかがすいて死にそうよ」と彼女は待ちくたびれたように言った。

僕は食事を頼んでおいてからざっと風呂に入り、体を乾かしているあいだに久し振りに体重を測ってみた。六十キロ、十年前と同じだ。わき腹につきかけていた贅肉《ぜいにく》もこの一週間ばかりでさっぱりと落ちていた。

部屋に戻ると食事の仕度ができていた。僕は鍋ものをつまんでビールを飲みながら緬羊飼育場と自衛隊あがりの管理人の話をした。彼女は羊を見逃したことを残念がった。

「でもこれでやっとゴールの手前まで来たみたいね」

「だといいけれどね」と僕は言った。

我々はテレビでヒッチコックの映画を観てから、布団にもぐり込んで灯りを消した。階下の時計が十一時を打った。

「明日は早いからね」と僕は言った。

返事はなかった。彼女は既に規則正しい寝息をたてていた。僕はトラベル・ウォッチの時間をあわせ、月あかりの下で煙草を一本吸った。川の水音の他には何も聞こえなかった。町全体が眠り込んでしまったようだった。

一日移動していたおかげで体はぐったり疲れていたが、意識がたかぶって、どうしても寝つけなかった。耳ざわりな雑音が頭の中にこびりついていた。

静かな闇の中でじっと息をこらしていると、僕のまわりで町の風景が溶解していった。家々は朽ち果て、線路は見るかげもなく錆びつき、耕地には雑草が生い茂っていた。そのようにして町は百年のその短かい歴史を終え、大地の中に没していった。まるでフィルムを逆送りするように時間が退行した。えぞしかや熊や狼が大地に姿を現わし、いなごの大群が黒く空を覆い、熊笹の海が秋の風に揺れ、うっそうとした針葉樹林が太陽を隠した。そのようにすべての人の営みが消え去ったのちにも、羊たちだけは残っていた。闇の中で彼らはきらりと瞳を光らせ、じっと僕をみつめていた。彼らは何も語らず、何も思わず、ただ僕をみつめていた。何万という数の羊だった。かたかたかたというあの平板な歯音が地表を覆っていた。

柱時計が二時を打つと羊たちは消えた。

そして僕は眠った。

4　不吉なカーブを回る

ぼんやりと曇った肌寒い朝だった。僕はこんな日に冷たい消毒液の中を泳がされる羊たちに同情した。あるいは羊たちはたいして寒さを苦にしないのかもしれない。おそらく苦にしないのだろう。

北海道の短かい秋はそろそろ終りに近づいていた。厚い灰色の雲は雪の予感をはらんでいた。東京の九月から北海道の十月にとびこんだおかげで、僕は一九七八年の秋の殆《ほと》んどを失ってしまったようだった。秋の始めと秋の終りがあって、秋の中心がなかった。

六時に目を覚まして顔を洗い、食事の用意ができるまで一人で廊下に座って川の流れを眺めていた。川は昨日より幾らか水かさが減り、濁りもすっかり取れていた。川の向う岸には水田が広がり、見渡す限りに実った稲の穂が不規則な朝の風に奇妙な波の線を描き出していた。コンクリートの橋の上をトラクターが山に向って渡っていった。トラクターのトクトクトクというエンジン音が風に乗っていつまでも小さく聞こえていた。三羽の鴉《からす》が紅葉した白樺林のあいだから現われ、川の上でぐるりと輪を描いてから欄干《らんかん》にとまった。欄干にとまった鴉たちは前衛劇に出てくる傍観者のように見えた。しかしそのような役まわりにも飽きると彼らは順番に欄干を離れ、川の上流に向けて飛び去っていった。

八時ちょうどに緬羊管理人の古いジープが旅館の前に停った。ジープは箱型の屋根つきで、払い下げ品らしくボンネットのわきには自衛隊の所属部隊名が薄く残っていた。

「おかしいんだよ」と管理人は僕の顔を見るなり言った。「昨日念のために山の上に電話を入れてみたんだが、まるで通じねえんだ」

僕と彼女は後の座席に乗りこんだ。車内にはかすかにガソリンの匂いがした。「最後に電話をかけたのはいつですか？」と僕は訊ねてみた。

「そうだな、先月だよ。先月の二十日頃。それ以来一度も連絡してないな。だいたい用事がありゃ向うからかかってくるからね。買物のリストとかさ」

「ベルも鳴らないの？」

「ああ、うんともすんとも言わないんだ。どっかで架線が切れちまったのかもしれないな。大雪が降ったりすると、そういうことはないでもないからね」

「でも雪は降ってない」

管理人は顔を天井に向けてこりこりこりと首筋をまわした。「ともかくまあ行ってみようや。行けばわかるよ」

僕は黙って肯《うなず》いた。ガソリンの匂いのおかげで頭がぼおっとしていた。

車はコンクリートの橋を渡り、昨日と同じコースを辿って山を上った。緬羊飼育場の前を通りすぎる時、我々は三人でその二本のポールと看板を眺めた。飼育場はしんと静まりかえっていた。羊たちはあのブルーの目でそれぞれの沈黙の空間をみつめているのだろう。

「消毒は午後からやるんですか？」

「うん、まあな。でもたいして急ぐことでもないんだ。雪が降るまでに済ませりゃいいのさ」

「雪はいつごろから降るんですか？」

「来週降ってもおかしくないよ」と管理人は言った。そしてハンドルに片手を置いたまま下を向いてしばらく咳をした。「積りはじめるのは十一月に入ってからさ。ここらあたりの冬のことは知ってんのかい？」

「いや」と僕は言った。

「一度積り始めると堰《せき》が切れたみたいに際限なく積るんだ。そうするともうどうしようもない。家の中にひっこんで首をすくめているしかないやな。そもそも人間の住む土地じゃないんだ」

「でもずっと住んでるんでしょ？」

「羊が好きだからね。羊は性格の良い動物だし、人の顔もちゃんと覚えるんだ。まあ、羊の世話をしてると一年なんてあっという間にすぎちまうし、ただそれがぐるぐるまわっていくだけの話よ。秋に交尾して、冬をやりすごして、春に子供を産んで、夏に放牧する。仔羊が大きくなって、その秋にはもう交尾する。そのくりかえしだよ。羊は毎年入れ替って、俺だけが年をとる。年をとると町を出ていくのが余計に億劫《おっくう》になる」「冬には羊は何をしてるの？」と彼女が訊ねた。

管理人は彼女の存在にはじめて気がついたみたいに、ハンドルに手を置いたままぐるりとこちらを向き、彼女の顔を食い入るように眺めた。アスファルトの直線道路で対向車の影もなかったからいいようなものの、それでも冷や汗が流れた。

「冬のあいだ羊は牧舎の中でじっとしてるんだよ」管理人はやっと前方を向いてからそう言った。

「退屈しないのかしら？」

「あんたは自分の人生は退屈だと思うかい?」

「わからないわ」

「羊だってそれと似たようなもんだよ」と管理人は言った。「そんなこと考えもしないし、考えてもわかりっこない。干草を食べたり、小便をしたり、軽い喧嘩をしたり、おなかの子供のことを考えたりしながら冬を過すんだ」

山の勾配《こうばい》が少しずつ急になり、それとともに道路も大きなS字形のカーブを描き始めた。田園的な風景は次第に姿を消し、絶壁のようにそそりたつ暗い原生林が道の両側を支配するようになった。時折林の切れ目から平野部が見渡せた。

「雪が積るとこのあたりはもうぜんぜん走れなくなっちまうよ」と管理人は言った。「もっとも走る必要もないんだけどさ」

「スキー場や登山コースはないんですか?」と僕は訊いてみた。

「ないね。何もないんだ。何もないから観光客も来ない。だから町もどんどんさびれていく。昭和三十年代の半ば頃までは寒冷地農業のモデル・タウンとして結構活気もあったんだけど、米が余りだしてからは誰も冷蔵庫の中で農業をつづけることに興味なんて持たなくなったのさ。ま、当然のことだけどな」

「木材工場はどうなったんですか?」

「人手が足りないからもっと便利な場所に移ったんだ。今でも小さな工場は幾つか町にあるけどたいしたもんじゃないよ。山で切られた木は町をすどおりして名寄か旭川に行っちまうんだ。だから道路だけが立派になって、町がさびれていく。でかいスパイク・タイヤをつけた大型トラックなら大抵の雪道は苦にしないんだ」

僕は無意識に煙草を口にくわえたが、ガソリンの匂いが気になって箱の中に戻した。そしてかわりにポケットに残っていたレモン・ドロップをなめることにした。口の中でレモンの香りとガソリンの匂いがまじりあった。

「羊は喧嘩するの?」と彼女が質問した。

「羊はよく喧嘩するよ」と管理人は言った。「群れで行動する動物はみんなそうだけれど、羊の社会にも一頭ずつ細かい順位があるんだ。ひとつの囲いに五十頭の羊がいると、ナンバー1からナンバー50までの羊がいる。それでみんなその自分の位置をちゃんと認識してるんだよ」

「すごいのね」と彼女。

「その方がこちらも管理しやすいんだ。一番偉い羊をひっぱっていけば、あとは黙っててもついてくるからさ」

「でも順位が決まっているのなら、どうしてわざわざ喧嘩なんてするのかしら?」

「ある羊が怪我をして力を落としたりすると順位が不安定になるんだ。すると下の方の羊が上にのしあがろうとして挑戦する。そうなると三日くらいはどたばたやってるね」

「かわいそうね」

「ま、まわりもちだよ。蹴落とされる羊だって若い頃は誰かを蹴落としてきたんだものな。それに一度殺されちまえばナンバー1もナンバー50もなくなっちまうんだ。みんな仲良くバーベキューさ」

「ふうん」と彼女は言った。

「しかしいちばんかわいそうなのは、なんといっても種牡だね。羊のハーレムのことは知ってるかい？」

知らない、と我々は言った。

「羊を飼う場合、いちばん大事なのは交尾の管理なんだ。だから牝は牝、牡は牡で隔離して、牝の囲いの中に一頭だけ牡を放り込む。まあだいたいいちばん強いナンバー1の牡だよな。つまり立派な種をしこむわけさ。そして一ヵ月ばかりその仕事が終ると種牡はもとの牡だけの囲いに戻される。でもそのあいだに囲いの中には新しい順位ができあがってる。種牡は交尾のおかげで体重が半分も減っているから喧嘩しても勝てっこないんだ。なのに他の羊ぜんぶと総あたりで喧嘩をやらされるんだ。気の毒なものさ」

いたのだろう。


「羊はどんな風に喧嘩するの？」

「頭と頭をぶっつけあうのさ。羊の額は鉄みたいに固くて、中が空洞になってるんだよ」

彼女は黙って何かを考えていた。たぶん羊が額をぶっつけて闘っている光景を想像していたのだろう。


三十分ほど進んだところでアスファルトの舗装が突然消え失せ、道幅も半分になった。両側の暗い原生林が巨大な波のように車に向ってどっと押し寄せてきた。空気の温度が何度か下がった。

道はひどく荒れていて、車は地震計の針みたいに上下に揺れた。足もとに置いてあるポリタンクのガソリンが不吉な音を立て始めた。まるで頭蓋骨の中で脳味噌が飛び散っているような音だ。耳にしているだけで頭が痛んだ。

そんな道が二十分か三十分つづいただろうか。腕時計の針さえ正確に読み取れなかった。そのあいだ誰も一言も口をきかなかった。僕は座席の背中についたベルトをしっかりとつかみ、彼女は僕の右腕にしがみつき、管理人はハンドルに意識を集中させていた。

「左」としばらくあとで管理人が手短かに言った。僕はよくわからないまま道の左側に目をやった。暗いぬめぬめとした原生林の壁が地表からひきちぎられたように消え失せ、大地が虚無の中に陥没した。巨大な谷だった。眺めは壮大だったが、そこには暖かみのかけらもなかった。切りたった垂直の岩壁はあらゆる生命の姿をそこから払い落とし、それでも足りずにまわりの風景にその不吉な息を吐きかけていた。

谷に沿った道の前方に奇妙なほどつるりとした円錐形の山が見えた。その先端はまるで巨大な力でねじまげられたような形にゆがんでいる。

管理人はぐらぐらと揺れるハンドルを握りしめたまま、その山の方向を顎でしゃくった。

「あれを裏までまわるんだ」

谷から吹き上げる重い風が右手のスロープに茂る緑の草を下から撫であげていった。車の窓ガラスに細かい砂があたってぱちぱちと音を立てた。

いくつかのきわどいカーブを抜け、車が円錐形の上に近づくにつれて右手のスロープは険しい岩山へと姿を変え、やがて垂直な岩の壁に変った。そして我々はのっぺりとした巨大な壁に刻まれた狭いはりだしに辛《かろ》うじてしがみついているような格好になった。

天候は急速に崩れつつあった。青が僅《わず》かにまじった淡い灰色はその不安定な微妙さに倦《う》んだかのようにくすんだ灰色へと変り、そこに煤《すす》のような不均一な黒が流れ込んでいった。まわりの山々もそれにつれて陰鬱な影に黒く染められていった。

風がすりばち形になった部分で渦を巻き、舌をまるめて息を吐くような嫌な音を立てていた。僕は手の甲で額の汗を拭った。セーターの中でも冷たい汗が流れていた。

管理人は唇をしっかりと結んだまま右へ右へと大きなカーブを切りつづけた。そして何かを聞きとろうとするかのような顔つきで前かがみになったまま少しずつ車のスピードを緩《ゆる》め、ほんの僅か道が広くなったところでブレーキ・ペダルを踏んだ。エンジンが停まると、我々は凍りつくような沈黙の中に放り出された。風の音だけが大地を彷徨《ほうこう》していた。

管理人はハンドルの上に両手を載せたまま長いあいだ黙り込んでいた。それからジープを降り、作業靴の底で地面をとんとんと叩いた。僕も車を下りてそのわきに立ち、路面を眺めた。

「やはり駄目だね」と管理人は言った。「僕が考えてたよりずっと強く降ってるよ」

僕には道路がそれほど湿っているとは思えなかった。どちらかといえば固く乾いているように見えた。

「中が湿ってるんだ」と彼は説明した。「それでみんなだまされるのさ。ここらはね、ちょっと変った場所なんだよ」

「変った？」

彼はそれには答えずに上着のポケットから煙草を出してマッチを擦った。「まあ少し歩いてみようや」

我々は次のカーブまで二百メートルばかり歩いた。体にまつわりつく嫌な寒気がした。僕はウィンド・ブレーカーのジッパーを首まであげて襟を立てた。それでも寒気は消えなかった。

カーブの曲りばなで管理人は立ち止まり、口の端に煙草をくわえたまま、じっと右手の崖を睨《にら》んだ。崖のまんなかあたりから水が湧き出し、それは下におりて小さな流れとなり、道路をゆっくりと横切っていた。水は粘土を含んで薄茶色に濁っていた。崖の湿った部分を指でなぞってみると、岩はみかけよりずっともろく、表面がぼろぼろと崩れた。

「これはすごく嫌なカーブなんだ」と管理人は言った。

「地面ももろい。でもそれだけじゃねえんだ。なにかこう、不吉なんだよ。羊でさえここではいつも怯《おび》えるんだ」

管理人はしばらく咳きこんでから煙草を地面に捨てた。「悪いけど無理したくないんでね」

僕は黙って肯いた。

「歩けるかな？」

「歩くぶんには問題ないな。要は震動だからね」

管理人はもう一度靴の底で思い切り路面を叩いた。ほんのわずか時間がずれて鈍い音がした。ぞっとするような音だった。「うん、歩くぶんには大丈夫さ」

我々はジープまで引き返した。

「ここからだとあと四キロってとこだな」と管理人は並んで歩きながら言った。「女づれでも一時間半もありゃ着く。道は一本だし、たいした上りもないしな。最後まで送れなくて悪かった」

「いいですよ。どうもありがとう」

「ずっと上にいるのかい？」

「わからないな。明日帰ってくるかもしれないし、一週間かかるかもしれない。なりゆき次第ですよ」

彼はまた煙草をくわえたが、今度は火をつける前に咳きこんだ。「あんた気をつけた方がいいよ。この分じゃ今年は雪が早そうだからな。雪が積っちまうとここから抜け出せなくなっちまうよ」

「気をつけますよ」と僕は言った。

「玄関の前に郵便受けがあって、鍵がその底にはさんである。誰もいなかったら、それを使うといいよ」

どんよりと曇った空の下で、ジープから荷物を下ろした。僕は薄いウィンド・ブレーカーを脱いで、厚い登山用のパーカを頭からかぶった。それでも体に浸み込んでくる寒さは防ぎきれなかった。

管理人は狭い道路の上で崖のあちこちに車体をぶっつけながらジープを苦労して方向転換させた。ぶつかるたびに崖土がぼろぼろと下に落ちた。やっと方向転換が終ると管理人はクラクションを鳴らして手を振った。我々も手を振った。ジープはぐるりとカーブをまわって姿を消し、あとには我々二人がぽつんととり残された。まるで世界のはしっこに置き去りにされたような気分だった。

我々はリュックを地面に置き、とくにこれといって話すこともないまま二人であたりの風景を眺めた。眼下の深い谷底には銀色の川がゆるやかな細い曲線を描き、その両側は厚い緑の林に覆われていた。谷を隔てた向う側には紅葉に彩られた低い山なみが波うちながら連なり、その彼方には平野部がぼんやりとかすんで見えた。刈り入れが終ったあとの稲を焼く煙がそこに幾筋か立ちのぼっていた。見はらしとしては素晴しいものだったが、どれだけ眺めていても楽しい気分にはなれなかった。全てがよそよそしく、そしてどこかしら異教的だった。

空は湿っぽい灰色の雲にすっぽりと覆われていた。それは雲というよりは均一な布地のように見えた。その下を黒い雲の塊りが低く流れていた。手をのばせば指先が触れそうな気がするくらいだ。彼らは信じ難いスピードで東へと向っていた。中国大陸から日本海を越えて北海道を横切り、オホーツクへと抜ける重い雲だ。次から次へとやってきては去っていくそんな雲の群れをじっと眺めていると、我々の立っている足場の不確かさは耐えがたいものになってきた。彼らは気まぐれな一吹きで岸壁に貼りついたこのもろいカーブもろとも我々を虚無の谷底にひきずりおろすことだってできるのだ。

「急ごう」と言って僕は重いリュックをかついだ。雨だかみぞれだかが降り出す前に、屋根のある場所に一歩でも近づいておきたかった。こんな寒々しい場所でずぶ濡れになりたくはない。

我々は急ぎ足で〈嫌なカーブ〉を通り抜けた。管理人が言うとおり、そのカーブにはたしかに不吉なところがあった。まず体が漠然とした不吉さを感じ取り、その漠然とした不吉さが頭のどこかを叩いて警告を発していた。川を渡っている時に急に温度の違う淀みに足をつっこんでしまったような感じだった。

その五百メートルばかりを通り過ぎるあいだに、地面を踏みしめる靴音が何度か変化した。蛇のようにくねくねとした湧水の流れが幾筋か地面を横切っていた。

我々はカーブを通り抜けてしまったあとも、少しでもそこから遠ざかるためにペースを緩めずに歩きつづけた。そして三十分ばかり歩いて崖の傾斜がなだらかになり僅かながらも木々の姿が見え始めたところで、やっと一息ついて肩の力を抜いた。

そこまで来てしまえば、あとの道にはたいした問題はなかった。道は平坦になり、まわりのとげとげしさも薄らぎ、次第に穏やかな高原の風景へと移行していった。鳥の姿も見えるようになった。

それから三十分ばかりで我々はその奇妙な円錐形の山を完全に離れ、テーブルのようにのっぺりとした広い台地に出た。台地はまわりを切り立った山に囲まれていた。巨大な火山の上半分がすっぽりと陥没してしまったような感じだった。紅葉した白樺の樹海がどこまでも続いていた。白樺のあいだには鮮やかな色あいの灌木ややわらかな下草が茂り、ところどころに風に倒された白樺が茶色くなって朽ち果てていた。

「良さそうなところね」と彼女は言った。

あのカーブを通り抜けてきたあとでは、たしかにそこは良さそうな場所に見えた。

一本のまっすぐな道が白樺の樹海を貫いていた。ジープがやっと通れるくらいの道で、頭が痛くなりそうなほどまっすぐだった。カーブもなければ、急な坂もない。前を見ると、何もかもが一点に吸い込まれていた。黒い雲がその点の上空を流れていた。おそろしく静かだった。風の音さえ広大な林の中に呑み込まれていた。黒いむっくりとした鳥が時折赤い舌を出してあたりの空気を鋭く裂いたが、鳥がどこかに消えてしまうと、沈黙がやわらかなゼリーのようにそのすきまを埋めた。道を埋めつくした落葉は二日前の雨を吸い込んだまましっとりと湿っていた。鳥のほかに沈黙を破るものは何もなかった。どこまでも白樺の林がつづき、どこまでもまっすぐな道がつづいていた。ついさっきまでは我々をあれほど圧迫していた低い雲も、林のあいだから眺めると、どことなく非現実的に見えた。

十五分ほど歩いたところで澄んだ小川にぶつかった。小川には白樺の幹をたばねて手すりをつけた丈夫な橋がかかりそのまわりが休憩用のあき地のようになっていた。我々はそこで荷物を下ろし、川に下りて水を飲んだ。これまでに飲んだことのないような美味《うま》い水だった。手が赤らむほど冷たく、そして甘い。やわらかな土の匂いがした。

雲行きはあいかわらずだったが、天候はなんとか持ちこたえていた。彼女は登山靴の紐をなおし、僕は手すりに腰かけて煙草を吸った。下流の方から滝の音が聞こえた。音からするとそれほど大きな滝ではなさそうだった。道の左手から気まぐれな風がやってきて、積もった落葉にさざ波をたてながら右手に去っていった。

煙草を吸い終って靴底で踏み消す時に、そばにもう一本のべつの吸殻をみつけた。僕はそれを拾いあげてくわしく調べてみた。踏みつぶされたセブンスターだった。湿り気がないところを見ると、雨のあとで吸われたものだ。つまり昨日か今日だ。

僕は鼠がどんな煙草を吸っていたか思い出そうとしてみた。思い出せなかった。煙草を吸っていたかどうかさえ思い出せなかった。僕はあきらめて吸殻を川に捨てた。水の流れはあっというまにそれを下流に運び去った。

「どうかしたの？」と彼女が訊ねた。

「新しい吸殻をみつけたんだ」と僕は言った。「つい最近誰かがここに座って僕と同じように煙草を吸っていたらしいね」

「あなたのお友だち？」

「どうかな。わからないね」

彼女は僕の隣りに腰を下ろして両手で髪をたくしあげ、久しぶりに耳を見せてくれた。滝の音が僕の意識の中でふと薄れ、そして戻った。

「まだ私の耳が好き？」と彼女が訊ねた。

僕は微笑《ほほえ》んでそっと手をのばし、指先で彼女の耳に触れた。

「好きだよ」と僕は言った。

そこから十五分歩いたところで道は突然終った。白樺の樹海も断ち切られたように終っていた。そして我々の前には湖のような広い草原が開けていた。

☜

草原のまわりには五メートルおきに杭が打たれ、杭のあいだをワイヤが結んでいた。錆びた古いワイヤだった。どうやら我々は羊の放牧場にたどりついたようだった。僕は両開きのすり減った木戸を押し開いて中に入った。草はやわらかく、大地は黒く湿っていた。草原の上を黒い雲が流れていた。雲の流れていく先には高く切りたった山が見えた。眺める角度こそ違っていたが、間違いなく鼠の写真に写っていたのと同じ山だった。写真をひっぱり出して確かめるまでもない。

しかし何百回となく写真を通して見ていた風景を実際に目のあたりにするというのは実に奇妙なものだ。奥行きがおそろしく人工的に感じられる。僕がそこに辿りついたというより、誰かが写真にあわせてそこに間にあわせの風景をあわてて作りあげたといった感じだった。

僕は木戸にもたれかかってため息をついた。何はともあれ我々は探しあてたのだ。探しあてることが何を意味しているかということはべつにして、ともかく我々は探しあてたのだ。

「着いたわね」と彼女は僕の腕を押えて言った。

「着いた」と僕は言った。それ以上の言葉は不要だった。

草原を隔てた正面にアメリカの田舎家風の古い木造の二階建ての家が見えた。四十年前に羊博士が建て、そして鼠の父親が買いとった建物だ。比較するものがないために遠くから見ると家の大きさは正確に把めなかったが、ずんぐりとした無表情な家だった。ペンキの白は曇り空の下で不吉にくすんで見えた。錆色に近い芥子《からし》色の駒形屋根《マンサード》のまんなかから、煉瓦造りの四角い煙突が空に向けてつきだしていた。家のまわりには垣根はなく、そのかわりに年を経た一群の常緑樹が枝を広げて、雨風や雪から建物を守っていた。家には不思議なくらい人気が感じられなかった。見るからに奇妙な家だった。感じが悪いわけでも寒々しいわけでもなく、とくに変った建てかたをしてあるわけでもなく、どうしようもないほど古びているわけでもない。ただ——奇妙だった。それはうまく感情表現できないまま年老いてしまった巨大な生き物のように見えた。どう表現すればいいのかではなく、何を表現すればいいのかがわからなかったのだ。

あたりには雨の匂いが漂っていた。急いだ方が良さそうだった。我々はその建物に向けて一直線に草原を横切った。西からはこれまでのようにこまぎれではない、雨をはらんだぶ厚い雲が近づいていた。

草原はうんざりするほど広かった。どれだけ足ばやに歩いても、とても前に進んでいるようには思えなかった。距離感がまるでつかめない。

考えてみれば、これほど広い平らな土地を歩いたのは初めてだった。ずっと遠くの風の動きまでが手にとるように見えた。鳥の群れが雲の流れと交叉するように、北に向けて頭上を横切っていった。

長い時間をかけて我々がその建物に辿り着いた時、雨は既にぽつぽつと降り始めていた。建物は遠くから見るよりずっと大きく、ずっと古びていた。白いペンキはいたるところでかさぶたのようにめくれあがってはげ落ち、はげ落ちた部分は雨に打たれて長いあいだに黒く変色していた。ここまでペンキがはげ落ちてしまうと新しくペンキを塗りなおすためには古いペンキを全部はがしてしまわなくてはならないだろう。その手間を考えると他人事ながらうんざりした。人の住まない家は確実に朽ちていく。その別荘は疑いもなくあともどりできるポイントを通り過ぎていた。

家が古びていくのとは対象的に樹木は休むことなく生長しつづけ、まるで「スイスのロビンソン」に出てくる樹上家屋のように建物をすっぽりと包んでいた。長いあいだ枝切りをしていないおかげで、樹木は気の向くままに枝を広げていた。

あの山道の険しさを考えてみると、四十年の昔にこれだけの家を建てる資材を羊博士がどのようにしてここまで運び上げたのか、僕には見当もつかなかった。おそらく労力と財産の全てをここにつぎこんだのだろう。札幌のホテルの二階の暗い部屋にこもっている羊博士のことを思うと心が痛んだ。報われぬ人生というものがタイプとして存在するとすれば、それは羊博士の人生のことだろう。僕は冷たい雨の中に立って、建物を見上げた。

遠くから見た時と同じように人の気配はまるで感じられなかった。細長く高いダブルハング窓の外側についた木のブラインドには細かい砂ぼこりが層になってこびりついていた。雨が砂ぼこりを奇妙な形に固定させ、その上に新しい砂ぼこりがたまり、新しい雨がそれをまた固定させていた。

玄関のドアには目の高さに十センチ四方のガラス窓がついていたが、窓は内側からカーテンでさえぎられていた。真鍮のノブのすきまにもたっぷり砂ぼこりが入り込んでいて、僕が手を触れるとそれがぱらぱらと下に落ちた。ノブは古い奥歯のようにぐらぐらとしていたが、ドアは開かなかった。厚い樫板を三枚あわせた古いドアは見かけよりずっとがっしりしていた。ためしにこぶしで何度かドアを叩いてみたが、案の定返事はなかった。手が痛んだだけだった。巨大なしいの枝が砂山が崩れ落ちる時のような音を立てて頭上で風に揺れた。

僕は管理人に教えられたとおりに郵便受けの底を探った。鍵は裏側についた金具にぶらさがっていた。昔風の真鍮の鍵で、手に触れる部分は真白に変色している。

「こんなところにいつも鍵を置いておくなんて不用心じゃないの？」と彼女が訊ねた。

「ここまでわざわざ物を盗りにきて、かついで持って帰るような人もいないさ」と僕は言った。

鍵は鍵穴に不自然なくらいぴったりとなじんでいた。鍵は僕の手の中でくるりと回転し、かちりという気持の良い音を立てて錠が外れた。

ブラインドが長いあいだ閉めきられていたせいで家の中は不自然なくらい薄暗く、目がなじむまでにしばらく時間がかかった。薄暗さが部屋の隅々にまで浸み込んでいた。

広い部屋だった。広く、静かで、古い納屋のような匂いがした。子供の頃かいだことのある匂いだった。古い家具や見すてられた敷物のかもしだす古い時間の匂い。後手でドアを閉めると風の音がぴたりと消えた。

「こんにちは」と僕は大声で叫んでみた。「誰かいませんか」

もちろん叫ぶだけ無駄だった。誰もいるわけがないのだ。暖炉のわきにある柱時計だけがこつこつと時を刻んでいた。

ほんの何秒かのあいだ、僕の頭が混乱した。暗闇の中で時間が前後し、幾つかの場所が重なりあった。重くるしい感情の記憶が乾いた砂のように崩れた。しかしそれは一瞬のことだった。目を開けるとすべては収っていた。目の前には奇妙に平板な灰色の空間が広がっているだけだった。

「大丈夫?」と彼女が心配そうに訊ねた。

「何でもないよ」と僕は言った。「とにかく上ろう」

彼女が電灯のスイッチを探しているあいだ、僕は薄闇の中で柱時計を調べてみた。時計は鎖のついた三本の分銅をひっぱりあげてねじを巻くようになっていた。分銅は三本とも既に下まで下りきっていたが、時計は最後の力をふりしぼって動きつづけていた。鎖の長さからすれば、分銅が下までくるのに要する日数は一週間というところだった。つまり一週間前にはここに誰かがいて、時計のねじを巻いたのだ。

僕は三本の分銅をいちばん上まで巻きあげてから、ソファーに座って足を伸ばした。戦前から使われているような古いソファーだったが座り心地は良かった。やわらかくもなく固くもなく、体になじむ。人の手のひらのような匂いがした。

しばらくたってからぱちんという小さな音がして電灯が点き、台所から彼女が現われた。彼女はてきぱきとした動作で居間のあちこちを調べてまわってから、長椅子に腰を下ろしてはっか煙草を吸った。僕もはっか煙草を吸った。彼女とつきあいだして以来、僕も少しずつはっか煙草が好きになっていた。

「あなたのお友だちはここで冬を越すつもりだったらしいわね」と彼女は言った。「台所をざっと見てみたけど、一冬越せるだけの燃料と食品は揃っているわ。まるでスーパー・マーケットみたい」

「でも本人だけがいない」

「二階を調べてみましょう」

我々は台所の横にある階段を上った。階段は途中で不思議な角度にぽきんと折れ曲っていた。二階に上ると空気の層がひとつ変ったような気がした。

「頭が少し痛いわ」と彼女が言った。

「ひどく痛いの?」

「ううん、大丈夫よ。気にしないで。こういうのは慣れてるから」

二階にはベッド・ルームが三つあった。廊下をはさんで左側が大きな部屋で、右が二つの小さな部屋である。我々は三つの部屋のドアを順番に開けてみた。どれにも最小限の家具しかなく、がらんとして薄暗かった。広い方の部屋にはツイン・ベッドとドレッサーがあり、ベッドは枠だけの裸だった。死んでしまった時間の匂いがした。

奥の方の小部屋にだけ、人間の匂いが残っていた。ベッドはきちんとメイクされて、枕はかすかにへこみを残し、青い無地のパジャマが枕もとにたたんであった。サイドテーブルには古い型のスタンドが載っていて、そのわきには本が一冊伏せてあった。コンラッドの小説だった。

ベッドのわきにはオーク材のがっしりとしたチェストがあり、引出しの中には男もののセーターとシャツとズボンと靴下、下着が整理されてつまっていた。セーターとシャツは古いもので、どこかしら擦り切れたりほころびたりしていたが、ものは良かった。そのうちの何着かには見覚えがあった。鼠のものだった。サイズ37のシャツと、73のズボン。間違いない。

窓際には最近ではちょっとお目にかかれないような古いシンプルなデザインの机と椅子

があった。机の引出しには安物の万年筆とスペア・インクが三箱とレター・セットが入っていたが、レター・ペーパーはどれも白紙だった。二段目には半分なくなった咳どめドロップの缶と、こまごまとした雑貨。三段目はからだった。日記も手帳もメモも、何もない。余計なものはひっかきあつめて全部処分したみたいに見えた。何もかもが余りにも整然としすぎていて、それが気に入らなかった。指を机の上に走らせると指先に白いほこりがついた。たいしたほこりではない。やはり一週間というところだ。

僕は草原に面したダブルハング窓を押し上げ、外側のブラインドを開いた。草原を吹きわたる風は強さを増し、黒い雲は一層低く流れていた。草原はのたうちまわる生きもののように風の中で身をくねらせていた。その向うに白樺が見え、山が見えた。写真とまったく同じ風景だった。羊がいないだけだ。

我々は下におりて、またソファーに座った。柱時計がひとしきりチャイムを鳴らしてから、十二個の時を打った。最後の音が空気の中に吸い込まれてしまうまで、我々は黙っていた。

「これからどうするつもり?」と彼女が訊ねた。

「待つしかないようだね」と僕は言った。「一週間前まで鼠はここにいたんだ。荷物だって残っている。きっと帰ってくるさ」

「でもその前に雪が積ってしまったら、私たちもここで冬を越すことになるし、あなたの一ヵ月の期限も切れちゃうわ」

そのとおりだった。

「君の耳は何も感じないのかい?」

「駄目。耳を開こうとすると頭が痛むの」

「じゃあここでのんびりと鼠の帰りを待つさ」と僕は言った。

要するにそれ以外に方法がないのだ。

彼女が台所でコーヒーを作っているあいだ、僕は広い居間をぐるりとまわって、隅々を調べてみた。居間の壁の中央には本物の暖炉があった。最近使われた痕跡《こんせき》はなかったが、使おうと思えばいつでも使えるように手入れしてあった。樫の葉が何枚か煙突から入りこんでいた。薪を燃やすほど寒くない日のために大型の石油ストーブも備えつけられていた。燃料計の針は満タンを示している。

暖炉のわきにはガラス戸つきの作りつけの書棚があり、おそろしいほどの数の古書がぎっしりと並んでいた。僕は何冊かを手にとってぱらぱらと眺めてみたが、どれもが戦前の本で、その大抵は無価値だった。地理や科学や歴史や思想、政治に関する本が多く、それらは四十年前の一般的知識人の基礎教養を研究する以外の目的にはまるで役立たない。戦後に発行された書物もあることはあるが、価値としては同程度のものだった。「プルターク英雄伝」や「ギリシャ戯曲選」やその他の何冊かの小説だけが風化をまぬがれて生き残っていた。そのようなものでも長い冬を越すにあたっては結構役に立つのかもしれない。しかしいずれにしても、これほどまとまった数の無価値な本が一堂に会しているのを目にするのは初めての経験だった。

書棚の隣りにはやはり作りつけの飾り棚があり、そこには六〇年代中期に流行《はや》ったタイプのブックシェルフ・スピーカーとアンプとプレーヤーがセットされていた。二百枚ばかりのレコードはどれも古く盤面は傷だらけだったが、少くとも無価値ではなかった。音楽は思想ほど風化しない。僕は真空管アンプのパワー・スイッチを入れ、でたらめにレコードを選んで針を置いてみた。ナット・キング・コールが「国境の南」を唄っていた。部屋の空気が一九五〇年代に逆戻りしてしまったような感じだった。

壁の向い側には高さ百八十センチほどのダブルハング窓が等間隔で四つ並んでいた。窓からは草原に降る灰色の雨が見えた。雨足は強くなり、山なみは遠くにぼんやりとかすんでいた。

部屋の床は板ばりで、中央に六畳間ほどの広さのカーペットが敷かれ、その上に応接セットとフロア・スタンドがあった。がっしりとした食卓セットは部屋の隅に押しやられて、白いほこりをかぶっていた。

実にがらんとした部屋だった。

部屋の壁にはめだたないドアがあり、ドアを開けるとそこは六畳ほどの広さの納戸だった。納戸には余分な家具やカーペットや食器、ゴルフ・セット、置きもの、ギター、マットレス、オーバーコート、登山靴、古雑誌といったものが所狭しと積みあげられていた。中学校の受験参考書やラジオ・コントロールの飛行機まであった。それらの殆んどは五〇年代中頃から六〇年代中頃にかけての産物だった。

この建物の中では時間は奇妙な流れ方をしていた。居間に置かれた旧式の柱時計と同じだ。人々が気紛れにやってきては分銅を巻きあげる。分銅が上っている限り、時はコツコツと音を立てて流れる。しかし人々が去り分銅が下りてしまうと時はそこで止まる。そして静止した時の塊りが床の上に色あせた生活の層を積み上げる。

僕は何冊かの古い映画雑誌を持って居間に戻り、それを開いてみた。グラビアの紹介映画は「アラモ」だった。ジョン・ウェインの初監督映画で、ジョン・フォードも全面的に応援していると書いてあった。アメリカ人の心に残る立派な映画を作りたいとジョン・ウェインは語っていた。しかしビーバーの帽子はジョン・ウェインにはまるで似合っていなかった。

彼女がコーヒーを持って現われ、我々は向いあってそれを飲んだ。雨粒が断続的に窓を叩いていた。時が少しずつ重みを増し、冷ややかな薄闇とまじりあいながら部屋を浸した。電灯の黄色い光が花粉のように空中を漂っていた。

「疲れたの？」と彼女が訊ねた。

「たぶんね」と僕はぼんやりと外の風景を眺めながら言った。「ずっと探しまわってきて、急に立ち止まったからね。きっとうまくなじめないんだ。それに苦労してやっと写真の風景に辿りついたというのに鼠も羊もいない」

「眠りなさい。そのあいだに食事の用意をしておくから」

彼女は二階から毛布を持ってきて、僕にかけてくれた。そして石油ストーブを用意し、僕の唇に煙草をはさんで火をつけてくれた。

「元気を出して。きっとうまくいくわよ」

「ありがとう」と僕は言った。

そして彼女は台所に消えた。

一人になると体が急に重くなったようだった。僕は二口吸ってから煙草を消し、毛布を首までひっぱりあげて目を閉じた。眠り込むまでにほんの数秒しかかからなかった。

5　彼女は山を去る。そしておそう空腹感

時計が六時を打った時、僕はソファーの上で目を覚ました。灯りは消え、部屋は濃い夕闇に覆われていた。体の芯から指先までがしびれていた。皮膚をとおしてインク色の夕闇が体にしみこんでいるような気がする。

雨はもうやんでしまったらしく、ガラス越しに夜の鳥の声が聞こえた。石油ストーブの炎だけが部屋の白い壁に奇妙に間のびした淡い影を作り出していた。僕はソファーから立

ちあがってフロア・スタンドのスイッチを点け、台所に行って冷たい水をグラスに二杯飲んだ。ガス台の上にはクリーム・シチューの入った鍋がのっていた。鍋にはまだ微かな温《ぬく》もりが残っていた。灰皿にはガール・フレンドの吸ったはっか煙草の吸殻が二本押しつぶされたような形で立っていた。

僕は本能的に彼女が既にこの家を去ってしまったことを感じとった。彼女はもうここにはいないのだ。

僕は調理台に両手をついて頭の中を整理してみた。

彼女はもうここにはいない、それは確かだった。理屈や推理ではなく、現実にいないのだ。がらんとした家の空気が僕にそれを教えていた。妻がアパートを出ていってしまってから彼女に巡り会うまでの二ヵ月あまり、いやというほど味わったあの空気だ。

僕は念のために二階に上り三つの部屋を順番に調べ、クローゼットの扉まで開けてみた。彼女の姿はなかった。彼女のショルダー・バッグとダウン・ジャケットも消えていた。土間の登山靴もなくなっていた。まちがいなく彼女は行ってしまったのだ。彼女が書き置きを残していきそうな場所をひとつひとつあたってみたが、書き置きはなかった。時間から見て彼女は既に山を下りてしまっているだろう。

彼女が消えてしまったという事実が僕にはうまく呑み込めなかった。起きたばかりで頭がまだよく働かなかったし、それにもし頭がよく働いたとしても、僕のまわりで起こりつつある様々な出来事のひとつひとつにきちんとした意味を与えていくことはもうとっくに僕の能力の範囲を越えていた。要するに物事を流れのままにまかせるしかないのだ。

居間のソファーに座ってぼんやりとしていると、ひどく腹が減っていることに突然気づいた。異様なほどの空腹感だった。

僕は台所から階段を下りて食料貯蔵庫となっている地下室に入り、適当な赤ワインのコルク栓を開けて味見をした。少し冷えすぎていたが素直な味だった。台所に戻ってナイフで調理台のパンを切り、ついでにりんごをむいた。シチューを暖めるあいだにワインを三杯飲んだ。

シチューが暖まるとワインと料理を居間のテーブルに並べ、パーシー・フェイス・オーケストラの「パーフィディア」を聴きながら夕食をとった。食後にはソースパンに残っていたコーヒーを飲み、暖炉の上でみつけたトランプで一人遊びをした。十九世紀のイギリスで発明されて一時流行《はや》ったものの、あまりに複雑すぎていつのまにかすたれてしまったゲームだ。ある数学者の計算によれば二十五万回に一回だけ成功する確率であるらしい。三回だけやってみたがもちろんうまくいかなかった。トランプと食器をかたづけてから、瓶に三分の一ばかり残ったワインのつづきを飲んだ。

窓の外は夜の闇に覆われていた。僕はブラインドを閉め、長椅子に寝転んでぱちぱちという音を立てる古いレコードを何枚か聴きつづけた。

鼠は帰ってくるだろうか？

たぶん帰ってくるだろう。ここには彼が一冬越すための食料と燃料が貯えられているのだ。

しかしそれはあくまでたぶんだった。鼠は何もかもが面倒になって「街」に帰ったのかもしれないし、それともどこかの女の子と下界で暮すことに決めたのかもしれない。それはまったくありえないことではなかった。

もしそうであったとすれば、僕はまずい立場に追い込まれることになる。鼠も羊もみつからぬうちに期限の一ヵ月は過ぎ去ることになるし、そうなればあの黒服の男は僕を彼のいわゆる「神々の黄昏《ゲッテルデメルング》」の中に確実にひきずりこんでいくだろう。僕をひきずりこむことに全くなんの意味もないとわかっていても、彼はきっとそうするに違いない。そういうタイプなのだ。

約束の一ヵ月はちょうど半分が過ぎ去ろうとしていた。十月の第二週、都会がいちばん都会らしく見える季節だ。何もなければおそらく僕は今ごろどこかのバーでオムレツでも食べながらウィスキーを飲んでいるに違いない。良い季節の良い時刻、そして雨あがりの夕闇、かりっとしたかき割りの氷とがっしりとした一枚板のカウンター、穏やかな川のようにゆったりと流れる時間。

そんなことをぼんやりと考えているうちに、この世界にもう一人の僕が存在していて、今頃どこかのバーで気持良くウィスキーを飲んでいるような気がしはじめた。そして考えれば考えるほど、そちらの僕の方が現実の僕のように思えた。どこかでポイントがずれて、本物の僕は現実の僕ではなくなってしまったのだ。

僕は頭を振って、そんな幻想を払いのけた。

外では夜の鳥が低く鳴きつづけていた。

☞

僕は二階に上って、鼠が使っていなかった方の小部屋にベッドをセットした。マットレスとシーツと毛布は階段のわきのクローゼットにきちんと積みあげられていた。

部屋の家具は鼠の部屋にあるものとまったく同じだった。ベッドサイド・テーブルと机とチェストとライト・スタンド。型は古いが機能だけを考えてしっかりとものが作られていた時代の産物だ。余計なものは何ひとつついていない。

枕もとの窓からはやはり草原が見渡せた。雨はすっかりあがり、厚い雲もところどころで切れめを見せはじめていた。そんなすきまから綺麗な半月が時折姿を見せて、草原の風景をくっきりと浮かびあがらせていた。それはサーチライトに照らし出された深い海の底のように見えた。

僕は服を着たままベッドにもぐりこみ、消えては現われるそんな風景をずっと眺めていた。あの不吉なカーブを曲って一人で山を下りていくガール・フレンドのイメージがしばらくそこにかさなり、それが消えてしまうと今度は羊の群れとその写真を撮っている鼠の姿が現われた。しかし月が雲に隠れ再び現われた時にはそれも消えていた。

僕はスタンドの灯りで「シャーロック・ホームズの冒険」を読んだ。

6　ガレージの中でみつけたもの
草原のまんなかで考えたこと

見たこともない種類の鳥の群れがクリスマス・ツリーの飾りつけみたいに玄関の前の椎の木にしがみついてさえずっていた。朝の光の中で、あらゆるものがしっとりと濡れて輝いていた。

僕はなつかしい型の手動式のトースターでパンを焼き、フライパンにバターをひいて目玉焼きを作り、冷蔵庫にあった葡萄ジュースを二杯飲んだ。彼女がいないのは寂しかったが、寂しいと感じることができるというだけで少し救われたような気がした。寂しさというのは悪くない感情だった。小鳥が飛び去ってしまったあとのしいんとした椎の木みたいだった。

皿を洗ってから洗面所で口のわきについた玉子の黄身を洗い落とし、たっぷり五分間歯を磨いた。そしてずいぶん迷ってからやはり髭《ひげ》を剃《そ》った。洗面所には新品同様のシェービング・フォームとジレットがあった。歯ブラシと歯磨きと洗顔石鹸、スキン・ローション、オーデコロンまであった。棚には色ちがいのタオルがきちんと折りたたんで十枚ほどかさねてある。いかにも鼠らしい几帳面さだった。鏡にも洗面台にもしみひとつない。

便所も風呂場もだいたい同じようなものだった。タイルのめじは古い歯ブラシと洗剤で真白に磨きあげられている。立派なものだ。便所に入れてある香料の箱からは上品なバーで飲むジン・ライムのような香りが漂っていた。

洗面所を出ると居間のソファーに座り、朝の煙草を吸った。リュックの中にはあと三箱ラークが残っていて、それでおしまいだ。それだけ吸ってしまえば、あとは禁煙するしかない。そう考えながらもう一本煙草を吸った。朝の光は心地良く、ソファーはしっくりと体になじんでいた。そんな風にしてあっというまに一時間が過ぎた。時計がのんびりと九時を打った。

僕は鼠が家中の家財道具を整理したり、便所のタイルのめじを真白にしたり、誰に会うみこみもないのにシャツにアイロンをかけたり髭を剃ったりしていた理由がなんとなくわかるような気がした。ここでは絶えず体を動かしていないと時間に対するまともな感覚がなくなってしまうのだ。

僕はソファーから立ちあがり、腕を組んで部屋をぐるりと一周してみたが、さしあたって何をすればいいのかまるで思いつかなかった。掃除の必要な箇所は既に鼠が掃除を済ませていた。高い天井のすすまで綺麗に払ってあった。

まあいい、そのうちに何か考えつくさ。

とりあえず家のまわりを散歩してみることにした。素晴しい天気だった。空には刷毛《はけ》でひいたような白い雲が幾筋か流れ、いたるところから鳥の声が聞こえた。

家の裏手に大きなガレージがあった。古い両開きの扉の前にひとつ吸殻が落ちていた。セブンスターだった。今度の吸殻は比較的古いもので、巻紙はほぐれてフィルターがむきだしになっていた。僕は家の中に灰皿がひとつしかなかったことを思い出した。それも長いあいだ使われた形跡のない古い灰皿だった。鼠は煙草を吸わないのだ。僕は手のひらでしばらくフィルターを転がしてみてからもとの場所に捨てた。

重いかんぬきを外してガレージの扉をあけると、中は広々として、板のすきまからさしこんだ日の光が黒い土の上に何本かの平行線をくっきりと描きだしていた。ガソリンと土の匂いがした。

車はトヨタの古いランドクルーザーだった。車体にもタイヤにも泥ひとつついてはいない。ガソリンは満タンに近かった。僕は鼠がいつもキイを隠しておく場所を手でさぐってみた。予想どおりキイはそこにあった。キイをさしこんでまわしてみると、エンジンはすぐに気持の良い音を立てた。いつもながら鼠は自動車の整備にかけては実に腕がいい。僕はエンジンを切ってキイをもとに戻し、運転席に座ったまま、まわりを見回してみた。車の中にはたいしたものは何もなかった。ロードマップとタオルとチョコレートが半分あるだけだ。後の座席には針金がひと巻と大型のペンチがあった。後部の座席は鼠の車にしては珍しく汚れたままだった。僕は後のドアを開けて座席の上に落ちているごみを手のひらに集め、壁の節穴からもれる太陽の光にあててみた。それはクッションからはみだした詰めもののように見えた。あるいは羊の毛のようにも見えた。僕はポケットからティッシュ・ペーパーを出してそれをくるみ、胸のポケットに入れた。

どうして鼠が車を使わなかったのか、僕には理解できなかった。ガレージに車があるということは彼が歩いて山を下りたか、それとも山を下りていないか、そのどちらかだったが、どちらも筋はとおっていなかった。三日前までは崖下の道は十分通れたはずだし、鼠が家をあけてこの台地のどこかで野宿をつづけているとも思えなかった。

考えるのをあきらめてガレージの扉を閉め、草原に出てみた。どれだけ考えてみたところで筋のとおらない状況から筋のとおった結論をひっぱり出すのは不可能だ。

太陽が高くなるにつれて草原から水蒸気が立ちのぼりはじめていた。水蒸気をとおして正面の山がぼんやりとかすんで見えた。一面に草の匂いがした。

湿った草を踏みながら草原の中央まで歩いた。ちょうどまんなかあたりに古い廃品タイヤが置いてあった。ゴムはもうすっかり白くなってひび割れている。僕はその上に腰を下ろしてまわりをぐるりと見回してみた。僕が出て来た家は海岸につきだした白い岩のように見えた。

草原のまんなかのタイヤの上に一人でじっと座っていると、子供の頃よく参加した遠泳大会を思い出した。島から島へ泳ぎわたるまんなかあたりで、僕はよく立ちどまってまわりの風景を眺めた。そしていつも不思議な気持になったものだった。二つの地点から等距離にあるというのは何かしら奇妙なものだったし、遠く離れた大地の上で人々が今も日常の営みをつづけているというのも妙だった。何よりも社会が僕抜きでちゃんと動いているというのがいちばん奇妙だった。

十五分ばかりそこに座ってぼんやりしてから歩いて家に戻り、居間のソファーに座って「シャーロック・ホームズの冒険」のつづきを読んだ。

二時に羊男《ひつじおとこ》がやってきた。

7　羊男来《きた》る

時計が二時の鐘を打ち終えた直後に、ドアにノックの音がした。はじめに二回、そして呼吸ふたつぶんおいて三回。

それがノックであると認識できるまでにしばらく時間がかかった。誰かがこの家の扉をノックすることがあるなど、僕には思いもよらないことだった。鼠ならノックなしでドアを開けるだろう——なにしろここは鼠の家なのだ。管理人なら一度ノックしてから返事を待たずにすぐにドアを開けるだろう。彼女なら——いや、彼女であるわけはない。彼女は台所のドアからそっと入って来て、一人でコーヒーを飲んでいるだろう。玄関をノックするようなタイプではないのだ。

ドアを開けると、そこには羊男が立っていた。羊男は開いたドアにもドアを開けた僕にもたいして興味はないといった格好で、ドアから二メートルばかり離れたところに立った郵便受けを珍しいものでも見るようにじっと睨《にら》んでいた。羊男の背丈は郵便受けより少し高いだけだった。百五十センチというところだろう。おまけに猫背で足が曲っていた。

それに加えて僕の立っている場所と地面のあいだには十五センチの差があったから、僕はまるでバスの窓から誰かを見下ろしているような具合になった。羊男はその決定的な落差を無視しようとするかのように、横をむいて熱心に郵便受けを睨みつづけていた。郵便受けにはもちろん何も入ってはいなかった。

「中に入っていいかな？」と羊男は横を向いたまま早口で僕に訊ねた。何かに腹を立てているようなしゃべり方だった。

「どうぞ」と僕は言った。

彼は身をかがめてきびきびとした動作で登山靴の紐をほどいた。登山靴には菓子パンの皮みたいに泥が固くこびりついていた。羊男は脱いだ登山靴を両手に持って、慣れた手つきでぱんぱんと叩きあわせた。厚い泥はあきらめたようにどさりと地面に落ちた。それから羊男は家の中のことはよく心得ているといわんばかりにスリッパをはいてすたすたと歩き、一人でソファーに腰を下ろし、やれやれという顔をした。

羊男は頭からすっぽりと羊の皮をかぶっていた。彼のずんぐりとした体つきはその衣裳

にぴったりとあっていた。腕と脚の部分はつぎたされた作りものだった。頭部を覆うフードもやはり作りものだったが、そのてっぺんについた二本のくるくると巻いた角は本物だった。フードの両側には針金で形をつけたらしい平べったいふたつの耳が水平につきだしていた。顔の上半分を覆った皮マスクと手袋と靴下はお揃いの黒だった。衣裳の首から股にかけてジッパーがついていて簡単に着脱できるようになっていた。

腕の部分にはやはりジッパーのついたポケットがあって、そこに煙草とマッチが入っていた。羊男はセブンスターを口にくわえてマッチで火をつけ、ふうっとため息をついた。僕は台所まで行って洗った灰皿を持ってきた。

「酒が欲しいな」と羊男が言った。僕はまた台所に行って半分ばかり残ったフォア・ローゼズの瓶をみつけ、グラスを二個と氷を持ってきた。

我々はそれぞれのオン・ザ・ロックを作り、乾杯もせずに飲んだ。羊男はグラスをあけてしまうまで、一人で何かをぶつぶつとつぶやきつづけていた。羊男の鼻は体に比べて大きく、息をするたびに鼻腔が翼のように左右に広がった。マスクの穴からのぞく二つの目は落ちつかな気に僕のまわりの空間をきょろきょろとさまよっていた。

グラスを空けてしまうと羊男は少し落ちついたようだった。彼は煙草を消し、マスクの下から両手の指を入れて目をこすった。

「毛が目に入るんだ」と羊男が言った。

どう言えばいいのかわからなかったので、僕は黙っていた。

「昨日の午前中にここに来ただろう？」と羊男は目をこすりながら言った。「ずっと見てたんだ」

羊男は半分溶けた氷の上にとくとくとウィスキーを注ぎ、かきまわさずに一口飲んだ。

「で、午後に女が一人で出てった」

「それも見てたんだね？」

「見てたんじゃなくて、おいらが追い返したんだ」

「追い返した？」

「うん、台所のドアから顔を出して、あんた帰った方がいいって言ったんだ」

「どうして？」

羊男はすねたように黙り込んだ。どうして、という質問のしかたはおそらく彼にはふさわしくないのだろう。しかし僕があきらめてべつの質問を考えているうちに彼の目が徐々に違った光を帯びていった。

「女はいるかホテルに帰った」と羊男は言った。

「彼女がそう言ったんだね？」

「何も言わないよ。ただいるかホテルに帰ったんだ」

「どうしてそれがわかるんだ？」

羊男は黙った。膝に両手を置き、黙ってテーブルの上のグラスを睨んでいた。

「でもいるかホテルに帰ったんだね？」と僕は言った。

「うん、いるかホテルは良いホテルだよ。羊の匂いがする」と羊男は言った。

我々はまた黙った。よく見ると羊男のまとった羊の毛皮はひどく汚れ、毛は油でごわごわとしていた。

「彼女は出ていく時に伝言か何か言っていかなかった？」

「いいや」と羊男は首を振った。「女は何も言ってないし、おいらは何も聞いてない」

「君が出ていった方がいいって言ったら、黙って出ていったんだね？」

「そうだよ。女が出ていきたがってたから出てった方がいいって言ったんだ」

「彼女は自分で望んでここまで来たんだ」

「違うよ！」と羊男はどなった。「女の方が出ていきたがってたんだ。でも自分でもとても混乱してたんだ。だからおいらが追い返したんだ。あんたが女を混乱させたんだ」羊男は立ちあがって右の手のひらでテーブルをばんと叩いた。ウィスキー・グラスが五センチばかり横にすべった。

羊男はしばらくそのままの姿勢で立っていたがやがて目の輝きが薄れ、力が抜けたようにソファーに腰を下ろした。

「あんたが女を混乱させたんだよ」と羊男は今度は静かに言った。「とてもいけないことだ。あんたには何もわかってないんだ。あんたは自分のことしか考えてないよ」

「彼女はここに来るべきじゃなかったってことだね？」

「そうだよ。あの女《ひと》はここに来るべきじゃなかったんだ。あんたは自分のことしか考えてないんだよ」

僕はソファーに沈みこんだままウィスキーをなめた。

「でもま、それはいいさ。なんにしても終っちまったんだものな」と羊男は言った。

「終った？」

「あんたはあの女にはもう二度と会えないよ」

「僕が自分のことしか考えなかったから？」

「そうだよ。あんたが自分のことしか考えなかったからだよ。その報いだよ」

羊男は立ちあがって窓際に行き、片手で重い窓をぐいと押しあげて外の空気を吸った。たいした力だった。

「こんな晴れた日は窓を開けとかなくちゃ」と羊男は言った。それから羊男は部屋をぐるりと半周して書棚の前に立ち、腕組したまま本の背表紙を眺めた。衣裳の尻の部分には小さな尻尾まではえていた。後から見ると本物の羊が二本足で立ちあがっているとしか見えなかった。

「友だちを探してるんだ」と僕は言った。

「へえ」と羊男は背中を向けたまま興味なさそうに言った。

「ここにしばらく住んでいたはずなんだよ。つい一週間前までさ」

「知らないねえ」

羊男は暖炉の前に立って棚の上のトランプをぱらぱらとめくった。

「背中に星の印がついた羊のことも探してるんだ」と僕は言った。

「見たこともないよ」と羊男は言った。

しかし羊男が鼠と羊について何かを知っていることは明らかだった。彼は無関心さを意識しすぎていた。答え方のタイミングが早すぎたし、口調も不自然だった。

僕は作戦を変え、いかにも相手にもう興味をなくしたという風をよそおってあくびをし、机の上の本を取ってページを繰った。羊男は少しそわそわした感じでソファーに戻った。そして僕が本を読んでいるのをしばらく黙って眺めていた。

「本を読むのって面白いかね？」と羊男は訊ねた。

「うん」と僕は簡単に答えた。

羊男はそれからもまだぐずぐずしていた。僕はかまわずに本を読みつづけた。

「さっきは大声出して悪かったよ」と羊男は小さな声で言った。「ときどきね、その、羊的なものと人間的なものとがぶつかってああなっちゃうんだよ。べつに悪気があったわけじゃないんだ。それにあんただっておいらを責めるようなことを言うから」

「いいさ」と僕は言った。

「あんたがあの女の人ともう会えないことについても気の毒だとは思うよ。でもそれはおいらのせいじゃないんだ」

「うん」

僕はリュックのポケットからラークを三箱出して羊男に与えた。羊男は少し驚いたようだった。

「ありがとう。この煙草はじめてだよ。でもあんたはいらないのかい？」

「煙草はやめたんだ」と僕は言った。

「うん、それがいいよ」と羊男は真剣に肯《うなず》いた。「たしかに体に悪いからね」

羊男は煙草の箱を大事そうに腕についたポケットにしまった。その部分が四角くふくらんだ。

「僕はどうしても友だちに会わなくちゃならないんだ。そのためにずっとずっと遠くからここまで来たんだ」

羊男は肯いた。

「羊についても同じだよ」

羊男は肯いた。

「でもそれについては何も知らないんだね?」

羊男は哀し気に左右に首を振った。作りものの耳がひらひらと揺れた。しかし今回の否定は前の否定よりずっと弱かった。

「ここはいいところだよ」と羊男は話題を変えた。「景色はきれいだし、空気はうまいしね。あんたもきっと気に入ると思う」

「いいところだよ」と僕も言った。

「冬になるともっと良くなる。あたりには雪しかなくなって、こちこちに凍りついちまうんだ。動物もみんな寝てるし、人も来ないよ」

「ずっとここにいるのかい?」

「うん」

僕はそれ以上何も質問しないことにした。羊男は動物と同じなのだ。こちらが近づけば退くし、こちらが退けば近づいてくる。ずっとここにいるのなら急ぐことはない。ゆっくり時間をかけて探り出していけばいいのだ。

羊男は左手で右手にはめた黒い手袋の先を親指から順番にひっぱっていった。何度かひっぱると手袋はすっぽりと抜け、かさかさとした浅黒い手が現われた。小さいが肉は厚く、親指のつけねから甲のまんなかにかけて古いやけどのあとが残っていた。

羊男は手の甲をじっと眺め、それからひっくりかえして手のひらを眺めた。それは鼠がよくやる仕草にそっくりだった。しかし鼠が羊男であるわけはない。身長が二十センチ以上も違うのだ。

「ここにずっといるのかい？」と羊男が訊ねた。

「いや、友だちか羊かどちらかがみつかれば出ていくよ。そのために来たんだからね」

「ここの冬はいいよ」と羊男はくりかえした。「白くてきらきらしてるんだ。そしてみんな凍りつくんだ」

羊男は一人でくすくす笑って、大きな鼻腔をふくらませた。口を開けると汚ない歯がのぞいた。前歯が二本抜け落ちていた。羊男の思考のリズムはどことなく不均一で、それが部屋の空気をのばしたり縮めたりしているように感じられた。

「そろそろ帰るよ」と羊男は突然言った。「煙草をどうもありがとう」

僕は黙って肯いた。

「あんたの友だちとその羊が早くみつかるといいね」

「うん」と僕は言った。「それについて何かがわかったら教えてくれるね」

羊男はしばらく居心地悪そうにもじもじしていた。「うん、いいよ。教えるよ」

僕は少しおかしくなったが笑いをこらえた。羊男はどうも嘘をつくのが苦手であるようだった。

羊男は手袋をはめてから立ちあがった。「また来るよ。何日先になるかはわからないけど、また来る」それから目が曇った。「迷惑じゃないだろうね?」

「まさか」と慌《あわ》てて僕は首を振った。「是非会いたいよ」

「じゃ、来るよ」と羊男は言った。そして後手にばたんとドアを閉めた。しっぽがひっかかりそうになったが、無事だった。

僕がブラインドのすきまから見ていると、羊男は来た時と同じように郵便受けの前に立って、そのペンキのはげた白い箱をじっと睨んでいた。そしてごそごそと身をよじって羊の衣裳に体をなじませてから、足早に草原を東の森に向けて突っ切っていった。水平につきでた耳がプールの跳び込み台のように揺れていた。羊男は遠ざかるにつれて白いくすんだ点となり、遂には同じような色あいの白樺の幹のあいだに吸い込まれていった。

羊男が消えたあとも、僕はずっと草原と白樺の林を見つめていた。見つめれば見つめるほど羊男がこの部屋にさっきまで存在していたことに確信が持てなくなった。

しかしテーブルにはウィスキーの瓶とセブンスターの吸殻が残っていたし、向いのソファーには羊の毛が何本か付着していた。僕はランドクルーザーの後部座席でみつけた羊の毛とそれを比べてみた。同じだった。

羊男が帰ったあとで、僕は頭を整理するために台所でハンバーグ・ステーキを作った。玉ねぎをみじん切りにしてフライパンで炒《いた》め、そのあいだに冷凍庫から出した牛肉を解凍して中目のミシンで挽《ひ》いた。

台所はどちらかといえばさっぱりしていたが、それでもひととおり以上の調理器具と調味料は揃っていた。道路さえきちんと舗装すればこのままここで山小屋風レストランが開けそうだった。窓を開け放ち、羊の群れと青い空を眺めながら食事をするというのも悪くないはずだ。家族づれは草原で羊と遊べばいいし、恋人たちは白樺林を散歩すればいい。きっとはやるに違いない。

鼠が経営し、僕が料理を作る。羊男にも何かできることはあるはずだ。山小屋レストランでなら彼の突飛な衣裳もごく自然に受け入れられるだろう。それから羊飼いとしてあの現実的な緬羊《めんよう》管理人を加えてもいい。現実的な人間も一人くらいはいてもいい。犬も必要だ。羊博士もきっと遊びに来てくれるだろう。

僕は木のへらで玉ねぎをかきまわしながら、ぼんやりとそんなことを考えていた。

考えるにつれて、あの素敵な耳のガール・フレンドを永遠に失ってしまったのかもしれないという思いが重くのしかかってきた。羊男の言うとおりかもしれない。僕はたぶん一人でここにやってくるべきだったのだ。僕はたぶん……、僕は頭を振った。そしてレストランのつづきを考えることにした。

ジェイ、もし彼がそこにいてくれたなら、いろんなことはきっとうまくいくに違いない。全ては彼を中心に回転するべきなのだ。許すことと憐れむことと受け入れることを中心に。

玉ねぎが冷めるまでのあいだ、僕は窓際に座って、また草原を眺めていた。

8　風の特殊なとおり道

それから三日が無為のうちに過ぎた。何ひとつ起こらなかった。羊男も姿を見せなかった。僕は食事を作り、それを食べ、本を読み、日が暮れるとウィスキーを飲んで眠った。朝は六時に起きて草原を半月形に半周走り、それからシャワーを浴びて髭を剃った。

朝の草原の空気は急速に冷ややかさを増していった。鮮やかに紅葉した白樺の葉は日一日とまばらになり、枯れた枝のあいだをぬって冬の最初の風が台地を南東に向けて吹き抜けていった。ランニングの途中で草原のまんなかに立ちどまると、そんな風の音がはっきりと聞きとれた。もうあとには戻れない、と彼らは宣告しているようだった。短かい秋は既に去ってしまったのだ。

運動不足と禁煙のせいで僕ははじめの三日間に二キロ太り、ランニングでそれを一キロ削った。煙草が吸えないのは少々苦痛だったが、三十キロ四方に煙草屋がないのだから我慢するしか方法はなかった。僕は煙草を吸いたくなるたびに、彼女と彼女の耳のことを考えた。僕がこれまでに失ったものに比べれば、煙草を失うことはごく些細《ささい》なことのように思えた。そして実際にそのとおりなのだ。

僕は暇にまかせていろんな料理を作ってみた。オーブンを使ってロースト・ビーフまで作った。冷凍した鮭を柔かくしておろし、マリネも作った。生野菜が不足していたので草原で食べられそうな野草をみつけ、かつおぶしを削って煮物を作った。キャベツで簡単な漬物も作ってみた。羊男が来た時のために何種類かの酒のつまみも用意した。しかし羊男は現われなかった。

僕は午後の大半を草原を眺めて過した。草原を長いあいだ眺めていると、白樺の林のあいだから今にも誰かがひょいと姿を現わし、そのまま草原をつっきってこちらにやってくるような錯覚に襲われた。大抵はそれは羊男だったが、ある時には鼠だったり、ガール・フレンドだったりした。ある時にはそれは星印をつけた羊だったりもした。

しかし結局のところ誰も現われなかった。風だけが草原を吹きわたっていた。まるでこの草原が風の特殊な通り道であるかのように見えた。風は重要な使命を帯びて先を急いでいるんだとでもいうように、あともふりかえらずに草原を走り抜けていった。

僕がこの台地にやってきてから七日めに初めての雪が降った。その日は朝から珍しく風がなく、空にはどんよりと重い鉛色の雲がたれこめていた。僕がランニングから帰ってシャワーを浴び、コーヒーを飲みながらレコードを聴いている時、雪が降りはじめた。いびつな形をした固い雪だった。窓ガラスにあたるたびにこつんという音がした。少し風が吹き始めていて、雪片は三十度ほどの斜めの線を描きながら地上に速い速度で落ちていた。雪がまばらなうちはその斜めの線はデパートの包装紙の柄みたいに見えたが、そのうちに雪が降りしきってくると、外は白くけぶり、山も林もなにも見えなくなってしまった。それは東京に時折降るようなこぢんまりとした雪ではなく、本物の北国の雪だった。何もかも覆いつくし、大地を芯まで凍らせてしまう雪だ。

じっと雪を見つめているとすぐに目が痛くなった。僕はカーテンを下ろし、石油ストーブのそばで本を読んだ。レコードが終り、オートチェンジャーの針が戻ってしまうと、あたりはおそろしいほどしんと静まりかえった。まるで生あるものの全てが死に絶えてしまったあとのような沈黙だった。僕は本を置いて、これといった理由もなく、家の中を順番にひととおり歩きまわってみた。居間から台所に行き、納戸と浴室と洗面所と地下室を調べ、二階の部屋のドアを開けてみた。誰もいなかった。沈黙だけが油のように部屋の隅々にしみこんでいた。部屋の広さによって沈黙の響きかたが少しずつ違っているだけだった。

僕は一人ぼっちで、生まれてこのかたこれほど一人ぼっちになったことはなかったような気がした。この二日ばかりではじめて強烈に煙草が吸いたくなったが、もちろん煙草はなかった。

そのかわりに僕は氷なしでウィスキーを飲んだ。もしこんな風に一冬を過すとしたら、僕はアルコール中毒になってしまうかもしれない。もっとも家の中にはアルコール中毒になれるほどの量の酒はなかった。ウィスキーが三本とブランデーが一本、それに缶ビールが十二ケース、それだけだ。たぶん鼠も僕と同じことを考えていたのだろう。

僕の相棒はまだ酒を飲みつづけているだろうか? うまく会社を整理し、望みどおりまたもとの小さな翻訳事務所に戻れただろうか? たぶん彼はそうするだろう。そして僕なしでもそれなりに上手《うま》くやっていくだろう。どちらにしても我々はそういう時期にさしかかっていたのだ。我々は六年かけてまた振り出しに戻ったわけだ。

昼すぎに雪はやんだ。降りはじめた時と同じような唐突なやみ方だった。ぶ厚い雲が粘土のようにところどころでちぎれ、そこから差し込む陽光が壮大な光の柱となって草原のあちこちを移動した。素晴しい眺めだった。

外に出てみると、地面にはぱらぱらとした固い雪が小さな砂糖菓子のように一面に散らばっていた。彼らはそれぞれにしっかり身を固めて、溶け去ることを拒否しているみたいに見えた。しかし時計が三時を打つころには殆んどの雪が溶けた。地面はしっとりと湿り、夕方近くの太陽が草原をやわらかな光で包みこんでいた。まるで解き放たれたように鳥が鳴き始めた。

夕食を済ませたあと、僕は鼠の部屋から「パンの焼き方」という本と一緒にコンラッドの小説を借りてきて、居間のソファーに座ってそれを読んだ。三分の一ばかり読んだところで、鼠がしおりがわりに十センチ四方ほどの新聞の切れはしをはさんでおいたところにぶつかった。日付はわからなかったが、色の具合から見てそれが比較的新しい新聞であることはわかった。切りとられた記事の内容はローカル情報だった。札幌のあるホテルで高齢化社会を考えるシンポジウムが開かれることになっていたり、旭川の近くで駅伝大会が催されたりしていた。中東危機についての講演会もあった。そこには鼠の、あるいは僕の興味をひきそうなものは何ひとつなかった。裏側は新聞広告だった。僕はあくびをして本を閉じ、台所でコーヒーの残りを沸かして飲んだ。

久し振りに新聞を読んで、僕は自分がまるまる一週間世界の流れから取り残されていたことにはじめて気づいた。ラジオもなければテレビもなく、新聞も雑誌もない。今、この瞬間にも東京は核ミサイルで崩壊しているのかもしれないし、疫病が下界を覆っているかもしれないのだ。あるいは火星人がオーストラリアを占領したかもしれない。だとしても、僕にはまるで知りようがないのだ。ガレージのランドクルーザーまで行けばカー・ラジオを聞くことはできたが、とくに聞きたいとも思わなかった。知らないで済んでしまうものならとくに知る必要もないわけだし、僕はもう既に必要なだけの心配の種は抱えこんでいるのだ。

しかし僕の中で何かがひっかかっていた。目の前を何かが通り過ぎたのに、考えごとをしていて気づかなかった時のような気分だった。そのくせ網膜には何かが通りすぎたという無意識な記憶が焼きついている……。僕はコーヒー・カップを流しにつっこむと居間にもどり、もう一度新聞の切れはしを手にとって眺めてみた。僕の探していたものはやはりその裏側にあった。

鼠、連絡を乞う
至急!!
ドルフィン・ホテル406

僕は紙片を本のあいだに戻し、ソファーの中に体を埋めた。

鼠は僕が彼を探していることを知っていたのだ。疑問――どのようにして彼はその記事をみつけたのか？　たぶん山から下りた時に偶然みつけたのだろう。それとも何かを探して何週間ぶんかの新聞をまとめて読んでいたのだろうか？

にもかかわらず、彼は僕に連絡しなかった。（その記事を手に入れた時には、僕はもういるかホテルを引き払っていたのかもしれない。それとも連絡するにも電話が既に死んでいたのかもしれない）

いや、違うな。鼠は僕に連絡できなかったのではなく、連絡したくなかったのだ。鼠は僕がいるかホテルにいることで、いずれここにやってくることは予測できたはずだし、僕に会いたければここで待っているか、少くとも書き置きを残していったはずなのだ。

要するに鼠は何らかの理由で僕と顔を合わせたくなかったのだ。しかし、彼は僕を拒否してはいない。もし彼が僕をここに置きたくないのなら、彼には僕を閉め出す方法は幾らでもあったはずなのだ。何故なら、この家は彼の家なのだから。

僕はそのふたつの命題を胸に抱えたまま、時計の長針がゆっくりと文字盤を一周するのを眺めていた。針が一周したあとでも、僕はそのふたつの命題の中心にあるものに辿りつくことはできなかった。

羊男は何かを知っている。それは確かだった。僕がここにやってくるのを目ざとくみつけたのと同じ人間が、半年近くもここに住んでいた鼠を知らないわけがないのだ。

考えれば考えるほど、羊男の行為は鼠の意志を反映しているとしか思えなかった。羊男は僕のガール・フレンドを山から下ろし、僕を一人にした。彼の登場はおそらく何かの前ぶれに違いない。僕のまわりでは確実に何かが進行しつつあるのだ。あたりがはききよめられ、何かが起ころうとしている。

僕は電気を消して二階に上り、ベッドに入って月と雪と草原を眺めた。雲の切れめから冷ややかな星の光が見えた。僕は窓を開け夜の匂いを嗅いだ。樹々の葉のすれあう音にまじって、何かの鳴き声が遠くに聴こえた。鳥の声とも獣の声ともつかない奇妙な鳴き声だった。

このようにして山の上での七日めが過ぎた。

目を覚まして草原を走り、シャワーを浴びて朝食を食べた。いつもと同じ朝だった。空は昨日と同じようにぼんやりと曇っていたが、気温はいくぶん上っていた。どうやら雪は降りそうにない。

僕はブルージーンとセーターの上にヤッケをかぶり、軽い運動靴をはいて草原を横切った。そして羊男が消えたあたりから東の林に入り、林の中を歩きまわってみた。道らしい道はなく、人の痕跡もなかった。時折古い白樺が地面に倒れていた。地面は平坦だが、ところどころに枯れた川のような、あるいは塹壕《ざんごう》のあとのような、一メートルほどの幅のみぞがあった。みぞはくねくねと曲りながら林の中を何キロも連なっていた。ある時は深く、ある時は浅くなり、その底にはくるぶしの深さまで枯葉がたまっていた。みぞを辿っていくとやがて馬の背のような切り立った道に出た。道の両脇はなだらかな斜面を持つ枯れた谷だった。枯葉色のむっくりとした鳥がかさかさと音をたてて道を横切り、斜面の繁みの中に消えた。どうだんつつじがまるで燃えさかる火のような赤を林のところどころにちりばめていた。

一時間ばかり歩きまわっているうちに、僕は方向感覚を失くしてしまった。羊男をみつけるどころではない。僕は水の音が聞こえるまで枯れた谷に沿って歩き、川をみつけると今度は流れに沿って川を下った。僕の記憶が正しければ滝にぶつかるはずだし、滝の近くに我々が往きに歩いてきた道が通っているはずだった。

十分ばかり歩いたところで滝の音が聞こえた。渓流は岩にはじかれるようにあちこちに向きをかえ、ところどころに氷のように冷ややかなよどみを作っていた。魚の姿はなく、よどみの水面には何枚かの枯葉がゆっくりと円を描いていた。僕は岩から岩へとつたい、滝を下り、つるつるとすべる斜面をよじのぼって見覚えのある道にでた。

橋のわきに羊男が座って僕を見ていた。羊男は薪をいっぱいつめこんだズックの大きな袋を肩にかけていた。

「あまりうろうろすると熊に会うよ」と彼は言った。「このあたりで一匹はぐれてるようだからね。昨日の午後あとをみつけたんだ。もしどうしても歩きまわりたいんなら、おいらみたいに腰にすずをつけるんだね」

羊男は衣裳の腰のあたりに安全ピンでとめた鈴をりんりんと鳴らした。

「君を探してたんだよ」と僕は息をついてから言った。

「知ってるよ」と羊男は言った。「探してるところが見えたもの」

「じゃあ、どうして声をかけてくれなかったんだ？」

「あんたが自分でみつけだしたいのかと思ったんだよ。で、黙ってたんだ」

羊男は腕のポケットから煙草を出して、美味《うま》そうに吸った。僕は羊男の隣りに腰を下ろした。

「ここに住んでるのかい？」

「うん」と羊男は言った。「でも誰にも言わないでほしいんだ。誰も知らないからね」

「でも僕の友だちは君のことを知ってるね？」

沈黙。

「とても大事なことなんだ」

沈黙。

「もし君が僕の友だちと友だちなら、僕と君も友だちということになるね？」

「そうだね」と羊男は注意深く言った。「きっとそうなるね」

「もし君が僕の友だちなら、君は僕に嘘をつかない。そうだね？」

「うん」と羊男は困ったように言った。

「話してくれないかな、友だちとして」

羊男は舌で乾いた唇をなめた。「言えないんだ。本当に悪いけれど、言えないんだ。言っちゃいけないことになってるんだ」

「誰に口止めされたんだい?」

羊男は貝のように押し黙った。風が枯木のあいだで音を立てた。

「誰も聞いてないよ」と僕はそっと言った。

羊男はじっと僕の目を見た。「あんたはこの土地のことを何も知らないんだね?」

「知らないよ」

「いいかい、ここは普通の場所じゃないんだ。それだけは覚えといた方がいいよ」

「でも君はこのあいだここは良い土地だって言ったぜ」

「おいらにとってはね」と羊男は言った。「おいらにとってはここしか住む場所はないからね。ここを追い出されるとおいらにはもう行き場所がないんだ」

羊男は黙った。彼からそれ以上の言葉を引き出すのは不可能であるように思えた。僕は薪のつまったズックの袋を眺めた。

「それで冬のあいだ暖房するんだね?」

羊男は黙って肯《うなず》いた。

「でも煙が見えなかったな」

「まだ火はたかないよ。雪が積るまではね。でも雪が積っておいらが火をたいたとしてもあんたには煙は見えないよ。そういう火のたき方があるからね」

羊男はそう言ってにやりと得意そうに笑った。

「雪はいつごろから積りだすかな？」

羊男は空を見上げ、それから僕の顔を見た。「今年の雪はいつもより早いよ。あと十日ってところかな」

「あと十日で道は凍りついてしまうんだね？」

「たぶんね。誰も上って来れないし、誰も下りて行けない。良い季節だよ」

「ずっとここに住んでるのかい？」

「ずっと」と羊男は言った。「ずっと長くだよ」

「何を食べてるんだい？」

「蕗、ぜんまい、木の実、鳥、小さな魚やかにもとれる」

「寒くないの？」

「冬は寒いもんだよ」

「何か足りないものがあれば、わけてあげられると思うんだけれど」

「ありがとう。でも今のところべつにないよ」

羊男は突然立ちあがり、草原の方向にむけて道を歩きはじめた。僕も立ちあがって彼のあとを追った。

「どうしてここに隠れて住むようになったの?」

「きっとあんた笑うよ」と羊男は言った。

「たぶん笑わないと思うよ」と僕は言った。いったい何を笑えばいいのか見当もつかない。

「誰にも言わない?」

「誰にも言わないよ」

「戦争に行きたくなかったからさ」

我々はそのまましばらく黙って歩いた。並んで歩いていると、羊男の頭が僕の肩先で揺れた。

「どこの国との戦争?」と僕は訊ねてみた。

「知らないよ」羊男はこんこんと咳をした。「でも戦争に行きたくないんだ。だから羊のままでいるんだよ。羊のままでここから動けないいんだ」

「十二滝町の生まれかい？」

「うん。でも誰にも言わないでくれよ」

「言わないよ」と僕は言った。「町は嫌い？」

「下の町かい？」

「うん」

「好きじゃないよ。兵隊でいっぱいだからね」羊男はもう一度咳をした。「あんたはどこから来た？」

「東京からだよ」

「戦争の話は聞いたかい？」

「いや」

羊男はそれで僕に対する興味を失ったようだった。我々は草原の入口に着くまで何もしゃべらなかった。

「家に寄っていかないか？」と僕は羊男に訊ねてみた。

「冬の仕度があるんだ」と彼は言った。「とても忙しい。また今度にするよ」

「僕の友だちに会いたいんだ」と僕は言った。「あと一週間のうちにどうしても彼に会わなきゃいけない理由があるんだ」

羊男は哀し気に首を振った。耳がぱたぱたと揺れた。「悪いけど、前にも言ったように、おいらには何もできないよ」

「もし伝えられたらでいいよ」

「うん」と羊男は言った。

「どうもありがとう」と僕は言った。

そして我々は別れた。

「出歩くときはくれぐれも鈴を忘れないようにね」と別れ際に羊男が言った。

そして僕はまっすぐ家に戻り、羊男は前と同じように東の林に消えた。冬色にくすんだ無言の緑の草原が我々のあいだを隔てた。

☜

その午後、僕はパンを焼いた。鼠の部屋でみつけた「パンの焼き方」という本はとても親切な本で、表紙には「文字さえ読めればあなたにも簡単にパンが焼けます」と書いてあったが、実にそのとおりだった。僕は本の指示に従って実に簡単にパンを焼いた。家じゅうに香ばしいパンの香りが漂い、暖かい雰囲気をそこに作りあげた。味の方も初心者にしては悪くなかった。台所には小麦粉もイースト菌もたっぷりあったし、もしここで一冬を越さねばならなくなったとしても少くともパンの心配だけはしなくて済みそうだった。米もスパゲティーもうんざりするほどある。

僕は夕方にパンとサラダとハム・エッグを食べ、食後に桃の缶詰を食べた。

翌朝僕は米を炊き、鮭の缶詰とわかめとマッシュルームを使ってピラフを作った。

昼には冷凍してあったチーズ・ケーキを食べ、濃いミルク・ティーを飲んだ。

三時にはヘイゼルナッツ・アイスクリームにコアントロをかけて食べた。

夕方には骨つきの鶏肉をオーブンで焼き、キャンベルのスープを飲んだ。

☞

僕は再び太りつつある。

九日めの昼下がりに書棚の本を眺めていて、僕は一冊の古い本がごく最近に読まれたらしいことを発見した。上部のほこりがそこだけ綺麗になって、背表紙も列から少しはみ出していた。

僕はそれを棚からひっぱり出し、長椅子に座ってページをめくってみた。「亜細亜主義の系譜」という戦争中に発行された本だった。紙質はひどく悪く、ページをめくるたびにかびの匂いがした。戦争中ということもあって内容は一方的で他愛なく、三ページごとにあくびがでるくらい退屈だったが、それでもところどころに伏せ字があった。二・二六事件に関しては一行も記述がなかった。

ぱらぱらと読むともなくページをめくっていくと、最後の方に白いメモ用紙がはさんであるのが目についた。古い黄ばんだ紙をずっと見てきたあとでは、その白い紙片は何かの奇跡のように見えた。そのページの右端には巻末資料とある。そこには有名無名のいわゆる亜細亜主義者たちの氏名・生年・本籍が掲載されていた。端から順番に眺めていくとまんなかあたりで「先生」の名前にでくわした。僕をここまで連れてきた「羊つき」の先生だ。本籍は北海道――郡十二滝町。

僕は本を膝に載せたまま、しばらく茫然としていた。頭の中で言葉が固まるまで長い時間がかかった。まるで頭の後ろを何かで思い切り殴られたような気分だった。

気づくべきだったのだ。まず最初に気づくべきだったのだ。最初に「先生」が北海道の貧農の出身だと聞いた時に、それをチェックしておくべきだったのだ。「先生」がどれだけ巧妙にその過去を抹殺していたとしても、必ず何かしらの調査方法はあったはずなのだ。あの黒服の秘書ならきっとすぐに調べあげてくれたはずだ。

いや、違う。

僕は首を振った。

彼がそれを調べていないわけがないのだ。それほど不注意な人間ではない。たとえそれがどれほど些細なことであるにせよ、彼はすべての可能性をチェックしているはずだ。ちょうど僕の反応と行動についてのあらゆる可能性をチェックしていたように。

彼は既に全てを理解していたのだ。

それ以外には考えられなかった。にもかかわらず、彼はわざわざ面倒な手間をかけて説得し、あるいは脅迫し、僕をこの場所に送り込んだ。何故だ？　たとえ何をするにしても僕よりは彼の方がずっと手際よくやれたはずなのだ。また何らかの理由で僕を利用しなければならなかったとしても、最初から場所を教えることだってできたのだ。

混乱が収まってくると、今度は腹が立ち始めた。何もかもがグロテスクで間違っているような気がした。鼠は何かを理解している。そしてあの黒服の男も何かを理解している。僕だけが殆んど何のわけもわからずにその中心に立たされている。僕の考えていることの全てはずれていて、僕の行動の全ては見当違いだ。もちろん僕の人生は終始そういったものだったのかもしれない。そのような意味では僕には誰を責めることもできないのかもしれない。しかし少くとも彼らはそんな風に僕を利用するべきではなかったのだ。彼らが利用し、しぼりあげ、叩きのめしたものは、僕に残された最後の、本当に最後のひとしずくだったのだ。

何もかもを放り出して、今すぐにでも山を下りてしまいたかったが、そうするわけにはいかなかった。何もかもを放り出すには、既に深入りしすぎていた。いちばん簡単なことは声をあげて泣いてしまうことだったが、泣くわけにもいかなかった。もっとずっと先に僕が本当に泣くべき何かが存在しているような気がした。

僕は台所に行ってウィスキーの瓶とグラスを持って来て、五センチぶん飲んだ。ウィスキーを飲む以外は何も思いつけなかった。

9　鏡に映るもの・鏡に映らないもの

十日めの朝、僕は全てを忘れることにした。失われるべきものは既に失われてしまったのだ。

その朝ランニングをしている最中に二度めの雪が降りはじめた。べっとりと湿ったみぞれが確かな氷片に変り、そして不透明な雪になった。最初のさらりとした雪とは違って、今度のは体にまつわりつくような嫌な雪だった。僕は途中でランニングをあきらめて家に戻り、風呂を沸かした。風呂が沸くまでずっとストーブの前に座っていたが、体は暖まらなかった。湿っぽい冷気が体の芯にまでたっぷり浸み込んでいた。手袋をとっても指先を曲げることはできず、耳は今にもちぎれそうなほどひりひりと痛んだ。体じゅうが質の悪い紙のようにざらついていた。

熱い風呂に三十分入って、ブランデーを入れた紅茶を飲んだところで体はやっとまともになったが、時折やってくる断続的な悪寒は二時間もつづいた。これが山の冬なのだ。

雪はそのまま夕方まで降りつづき、草原は一面の白に覆われた。夜の闇があたりを包むころに雪はやみ、再び深い沈黙が霧のようにやってきた。僕には防ぎようのない沈黙だった。僕はプレーヤーをオート・リピートにしてビング・クロスビーの「ホワイト・クリスマス」を二十六回聴いた。

もちろん積雪は恒久的なものではなかった。羊男の予言したように、大地が凍りつくまでにはまだ少し間がある。翌日はからりと晴れわたり、久々の太陽の光がゆっくりと時間をかけて雪を溶かしていった。草原の雪はまばらになり、残った雪が陽光を眩《まぶ》しく反射していた。駒形屋根《マンサード》に積った雪が大きな塊りとなって斜面を滑り、音を立てて地面に落ちて砕けた。雪溶け水がしずくとなって窓の外を落ちていた。何もかもがくっきりと輝いていた。かしの木の葉の一枚一枚の先端には小さな水滴がしがみつくように光っていた。

僕はポケットに両手をつっこみ、居間の窓際に立ったままじっとそんな風景を眺めていた。全てが僕とは無関係に繰り広げられている。僕の存在とは無関係に——誰の存在とも無関係に——全ては流れていくのだ。雪は降り、雪は溶ける。

　雪の溶けたり崩れたりする音を聞きながら、僕は家の掃除をした。雪のおかげで体がすっかりなまっていたし、形式的には僕は他人の家に勝手にあがりこんでいるわけだから、掃除くらいしたっていい。それにもともと料理や掃除は嫌いな方ではないのだ。

　しかし広い家をきちんと掃除するのは思っていたよりずっと辛い労働だった。十キロのランニングの方がまだ楽だ。僕は隅々にはたきをかけてから大型の電気掃除機でほこりを吸いとり、木の床を軽く水拭きしてから床にかがみこんでワックスをかけた。半分ばかりで息が切れた。しかし煙草をやめたおかげで悪くない息の切れ方だった。喉にひっかかるような嫌な感じがない。僕は台所で冷たい葡萄ジュースを飲んで一息ついてから、昼前に一気に残りを片づけた。ブラインドを全部開け放つと、ワックスのおかげで部屋全体がキラキラと輝いて見えた。懐しいしっとりとした大地の匂いとワックスの匂いが気持良く溶けあっていた。

　ワックスがけに使った六枚の雑巾を洗って外に干してから、鍋に湯を沸かしてスパゲティーを茹《ゆ》でた。たらことバターをたっぷりと白ワインと醤油。久し振りに気持の良いのんびりとした昼食だった。近くの林でアカゲラの鳴く声が聞こえた。

　スパゲティーをたいらげて食器を洗い、掃除のつづきをした。浴槽と洗面台を洗い、便器を洗い、家具を磨いた。鼠が気を配っていたおかげでそれほどひどい汚れもなく、家具磨きのスプレイだけですぐに綺麗になった。それから長いゴムホースを家の外にひっぱりだして、窓とブラインドのほこりを洗い落とした。それだけで建物全体がさっぱりとした。家の中に戻って窓ガラスの内側を拭いてしまうとそれで掃除は終った。夕方までの二時間ばかりをレコードを聴いて過した。

夕方になって鼠の部屋に新しい本を取りに行こうとして、階段の上りぐちにある大きな姿見がひどく汚れていることに気づき、雑巾とガラス磨きスプレイで磨いた。しかしどれだけ磨いても汚れは落ちなかった。どうして鼠がこの鏡だけを汚れるままに放っておいたのか、僕にはわからなかった。僕はバケツにぬるま湯を汲んで、ナイロンたわしでこびりついた脂をこすりとってから、乾いた雑巾で磨いた。バケツがまっ黒になるくらい鏡は汚れていた。

凝った木枠のついた見るからに時代ものの鏡だったが高価なものらしく、磨き終えたあとにはくもりひとつ残らなかった。歪みもなく、傷もなく、頭の先から足の先まできちんと像が映った。僕は鏡の前に立ってしばらく自分の全身を眺めてみた。とくに変ったことは何もない。僕は僕で、僕がいつも浮かべるようなあまりぱっとしない表情を浮かべていた。ただ鏡の中の像は必要以上にくっきりとしていた。そこには鏡に映った像特有の平板さが欠けていた。それは僕が鏡に映った僕を眺めているというよりは、まるで僕が鏡に映った像で、像としての平板な僕が本物の僕を眺めているように見えた。僕は右手を顔の前にあげて口もとを手の甲で拭ってみた。鏡の向うの僕もまったく同じ動作をした。しかしそれは鏡の向うの僕がやったことを僕がくりかえしたのかもしれなかった。今となっては僕が本当に自由意志で手の甲で口もとを拭いたのかどうか、確信が持てなかった。

僕は「自由意志」ということばを頭の中にキープしておいてから左手の親指とひとさし指で耳をつまんだ。鏡の中の僕もまったく同じ動作をした。彼もやはり僕と同じように「自由意志」ということばを頭の中にキープしているように見えた。

僕はあきらめて鏡の前を離れた。彼もやはり鏡の前を離れた。

十二日めに三度めの雪が降った。僕が目覚めた時、既に雪は降っていた。おそろしく静かな雪だった。固くもなく、べっとりとした湿り気もない。それはゆっくりと空から舞い下り、積る前に溶けた。そっと目を閉じるようなひそやかな雪だった。

僕は納戸から古いギターをひっぱりだして苦労して調弦し、古い曲を弾いてみた。ベニー・グッドマンの「エアメイル・スペシャル」を聴きながら練習しているうちに昼になったので、もう固くなってしまった自家製パンに厚く切ったハムをはさみ、缶ビールを飲んだ。

三十分ばかりギターの練習をしていると羊男がやってきた。雪はまだ静かに降りつづいていた。

「邪魔なら出直してくるよ」と玄関のドアを開けたまま羊男は言った。

「いや、いいよ。退屈していたんだ」僕はギターを床に置いてそう言った。

羊男は前と同じように脱いだ靴の泥をドアの外で叩き落としてから、家に上った。雪の中では彼のぶ厚い羊の衣裳はとてもしっくりと体になじんでいた。彼は僕の向いのソファーに座って肘かけに両手を置き、何度か体をもぞもぞと動かした。

「まだ積らない？」と僕は訊ねてみた。

「まだ積らないよ」と羊男は答えた。「雪には積る雪と積らない雪があってね、これは積らない方の雪だよ」

「ふうん」

「積る方の雪は来週だね」

「ビールでも飲む？」

「ありがとう。でもできればブランデーの方がいいな」

僕は台所に行って彼のためのブランデーと僕のためのビールを用意し、チーズ・サンドウィッチと一緒に居間にはこんだ。

「ギターを弾いてたんだね」と羊男は感心したように言った。「音楽はおいらも好きだよ。楽器は何もできないけどさ」

「僕もできないよ。もう十年近く弾いてなかったんだ」

「でもいいから少し弾いてみてくれないかな」

僕は羊男の気を悪くしないために「エアメイル・スペシャル」のメロディーをひととおり弾き、あとワン・コーラス、アドリブのようなものをやりかけてから小節の数がわからなくなってやめた。

「うまいよ」と羊男は真剣に賞めてくれた。「楽器が弾けるというのは楽しいんだろうね？」

「うまく弾ければね。でもうまくなるためには耳がよくなくちゃだめだし、耳がいいと自分の弾いてる音にうんざりしちゃうんだ」

「そういうものかな」と羊男は言った。

羊男はブランデーをグラスについでちびちびと飲み、僕は缶ビールのふたをあけてそのまま飲んだ。

「伝言は伝えられなかったよ」と羊男は言った。

僕は黙って肯《うなず》いた。

「それだけを言いに来たんだ」

僕は壁にかかったカレンダーを眺めた。赤いサインペンでしるしをつけた期限の日まであと三日しかなかった。しかしそれももう今となってはどうでもいいことだ。

「状況は変ったよ」と僕は言った。「僕はとても腹を立てている。生まれてからこのかた、これくらい腹を立てたことはない」

羊男はブランデー・グラスを手にしたまま黙っていた。

僕はギターを手に取ると、その背板を思いきり暖炉の煉瓦に叩きつけた。巨大な不協和音とともに背板が砕けた。羊男はソファーから飛び上った。耳が震えていた。

「僕にも腹を立てる権利はある」と僕は言った。自分に向って言ったようなものだった。僕にも腹を立てる権利はある。

「何もしてあげられなくて悪いと思うよ。でもわかってほしいんだ。おいらはあんたのこと好きだよ」

我々はしばらく二人で雪を眺めていた。まるでちぎれた雲が空から落ちているようなやわらかい雪だった。

僕は台所に新しい缶ビールを取りに行った。階段の前を通る時に鏡が見えた。もう一人の僕もやはり新しいビールを取りに行くところだった。我々は顔を見合わせてため息をついた。我々は違う世界に住んで、同じようなことを考えている。まるで「ダック・スープ」のグルーチョ・マルクスとハーポ・マルクスみたいに。

僕の後ろには居間が映っていた。あるいは彼の向うには居間があった。僕の後ろの居間と彼の向うの居間は同じ居間だった。ソファーもカーペットも時計も絵も本棚も、何もかも同じだった。それほど趣味はよくないにしても居心地の悪くない居間だ。しかし何かが違っていた。あるいは何かが違っているような気がした。

僕は冷蔵庫から新しいローエンブロウの青い缶を取り出し、それを手に持ったまま帰りにもう一度鏡の中の居間を眺め、それから本物の居間を眺めた。羊男はソファーに座ってあいかわらずぼんやりと雪を眺めていた。

僕は鏡の中の羊男の姿を確かめてみた。しかし羊男の姿は鏡の中にはなかった。誰もいないがらんとした居間に、ソファー・セットが並んでいるだけだった。鏡の中の世界では僕は一人ぼっちだった。背筋がきしんだ音を立てた。

「顔色が悪いよ」と羊男が言った。

僕はソファーに腰を下ろし、何も言わずに缶ビールのふたを開けてひと口飲んだ。

「きっと風邪をひいたんだよ。慣れない人にはここの冬は寒いからね。空気も湿っているし。今日は早く寝た方がいい」

「いや」と僕は言った。「今日は寝ないよ。ここでずっと友だちを待つんだ」

「今日来るってわかるのかい？」

「わかるよ」と僕は言った。「彼は今夜十時にここに来るんだ」

羊男は何も言わずに僕を見ていた。マスクからのぞく目にはまるで表情というものがなかった。

「今晩荷づくりをして、明日には引きあげるよ。彼に会ったらそう伝えておいてくれ。たぶんその必要もないと思うけれどね」

羊男はわかったといった風に肯いた。「あんたが行ってしまうとさびしいよ。まあ仕方ないことだとは思うけどね。ところでチーズ・サンドウィッチをもらっていいかな？」
「いいよ」
羊男は紙ナプキンにサンドウィッチをくるみ、ポケットに入れると、手袋をはめた。
「会えるといいね」と帰り際に羊男は言った。
「会えるさ」と僕は言った。

羊男は草原を東の方に去っていった。やがて雪のヴェールがすっぽりと彼を包んだ。あとには沈黙だけが残った。

僕は羊男のグラスにブランデーを二センチばかり注ぎ、一息で飲みくだした。喉が熱くなり、やがて胃が熱くなった。そして三十秒ほどで体の震えがとまった。柱時計が時を刻む音だけが誇張されて頭の中で鳴り響いていた。

たぶん眠るべきなのだろう。

僕は二階から毛布を取ってきて、ソファーの上で眠った。僕は三日間森の中をさまよい歩いた子供のようにぐったりと疲れていた。目を閉じた次の瞬間にはもう眠っていた。

僕は嫌な夢を見た。とても嫌な、思い出せないほど嫌な夢だった。

10　そして時は過ぎて行く

暗闇が油のように僕の耳からしのびこんできた。誰かが巨大なハンマーで凍った地球を叩き割ろうとしていた。ハンマーは正確に八回地球を打った。地球は割れなかった。少しひびが入っただけだった。

八時、夜の八時。

僕は頭を振って目を覚ました。体がしびれ、頭が痛んだ。誰かが僕を氷と一緒にシェーカーに入れて、でたらめに振りまわしたみたいだ。闇の中で目覚めるほど嫌なことはない。何もかもを最初からやりなおさなくてはいけないような気がするのだ。目覚めて最初のうちはまるで他人の人生を生きているような気分になってしまう。それが自分の人生に重なりあうまでにずいぶん時間がかかる。自分の人生を他人の人生として眺めるのは奇妙なものだ。そういった人物が生きていること自体が不可解に思えてくる。

　僕は台所の水道で顔を洗い、ついでに水を二杯飲んだ。水は氷のように冷たかったが、それでも顔の火照りはとれなかった。僕はもう一度ソファーに座り、暗闇と沈黙の中で少しずつ自分の人生のかけらをかきあつめた。たいしたものは集まらなかったけれど、少くともそれは僕の人生だった。そしてゆっくりと僕は僕自身に戻っていった。僕が僕自身であることは他人にはうまく説明できない。それにたぶん誰の興味もひかないだろう。

　誰かに見られているような気がしたが、それほど気にはならなかった。広い部屋にぽつんと一人でいると、そういう気がするものなのだ。

　僕は細胞のことを考えてみた。妻が言ったように結局は何もかもが失われていくのだ。自分自身さえもが失われていく。僕は手のひらで自分の頬を押えてみた。暗闇の中で手の中に感じる自分の顔は、自分の顔のように思えなかった。僕の顔の形をとった他人の顔だった。記憶さえもが不確かだ。あらゆるものの名前が溶解し、闇の中に吸いこまれていく。

　暗闇の中に八時半の鐘が鳴り響いた。雪は降り止んでいたが、あいかわらず厚い雲が空を覆っていた。完全な暗闇だった。僕は長いあいだソファーに沈み込んだまま親指の爪をかんでいた。自分の手さえはっきりと見えない。ストーブを消しているせいで、部屋は冷えびえとしていた。僕は毛布にくるまって、ぼんやりと闇の奥を眺めた。深い井戸の底にうずくまっているような気がした。

時間が流れた。闇の粒子が僕の網膜に不思議な図形を描いた。描かれた図形はしばらくすると音もなく崩れ、別の図形が描き出された。水銀のように静止した空間の中で、闇だけが動いていた。

僕は思考を止め、時を流れるにまかせた。時は僕を流しつづけた。新たな闇が新たな図形を描いた。

時計が九時を打った。九つめの鐘がゆっくりと暗闇の中に吸いこまれてしまうと、沈黙がその間隙《かんげき》にもぐりこんだ。

「話していいかな?」と鼠が言った。

「いいとも」と僕は言った。

11　闇の中に住む人々

「約束の時間より一時間も早く来すぎちゃったよ」と鼠は済まなそうに言った。

「いいとも」と僕は言った。

「いいさ。見てのとおりずっと暇なんだ」

鼠は静かに笑った。彼は僕の背後にいた。まるで背中あわせに座っているような感じだった。

「なんだか昔みたいだな」と鼠は言った。

「きっと我々はお互いに暇をもてあましている時にしか正直に話し合えないのさ」と僕は言った。

「どうもそうらしいね」

鼠は微笑《ほほえ》んだ。漆黒《しっこく》の闇の中で背中あわせになっていても彼の微笑みはわかる。ちょっとした空気の流れと雰囲気だけで、いろんなことがわかる。かつて我々は友だちだったのだ。もう思い出せないほど昔の話だ。

「でも暇つぶしの友だちが本当の友だちだって誰かが言ってたな」と鼠は言った。

「君が言ったんだろう?」

「あいかわらず勘がいいね。そのとおりだよ」

僕はため息をついた。「しかし今回のこのドタバタに関しては、僕はおそろしく勘が悪かった。死んでしまいたいくらいだよ。君たちがあれほど沢山ヒントをくれたのにね」

「仕方ないさ。君はよくやった方だよ」

我々は黙った。鼠はまた自分の手をじっと眺めているようだった。

「君にはずいぶん迷惑をかけてしまったな」と鼠は言った。「本当に悪かったと思うよ。しかしそれしか方法がなかったんだ。君以外には頼れる人間がいなかったんだよ。手紙にも書いたようにね」

「それについて話が聞きたいな。このままじゃ納得できないからさ」

「もちろんさ」と鼠は言った。「もちろん話す。でもその前にビールを飲もう」

僕が立ちあがりかけたのを鼠が押しとどめた。

「俺がとってくるよ」と鼠は言った。「なにしろここは俺の家だからね」

鼠が闇の中を慣れた足取りで台所まで歩き、冷蔵庫から缶ビールをひとかかえ取り出している音を聞きながら、僕は目を閉じたり開けたりしていた。部屋の暗闇と目を閉じた時の暗闇とでは暗闇の色が少し違う。

鼠が戻ってきてテーブルの上に缶ビールを何本か置いた。僕は手さぐりで一本つかみ、プルリングを取って半分飲んだ。

「目が見えないとビールじゃないみたいだな」と僕は言った。

「悪いとは思うけれど、暗くないとまずいんだ」

我々はしばらく黙ってビールを飲んだ。

「さて」と鼠は言って咳払いをした。僕はからになった缶をテーブルの上に戻し、毛布にくるまったまま相手が話しはじめるのをじっと待った。しかしそのあとの言葉は続かなかった。闇の中で鼠がビールの残りの量をたしかめるために缶を左右に振る音が聞こえただけだった。いつもの癖だ。

「さて」と鼠はもう一度言った。そして残りのビールを一気に飲み干し、かたんという乾いた音を立てて缶をテーブルの上に戻した。「まず、どうして俺がここにやってきたかというところから始めよう。それでいいね？」

僕は答えなかった。僕に答える意志のないことを確かめてから、鼠は話をつづけた。

「俺の父親がこの土地を買ったのは一九五三年のことだった。俺が五つの時だね。どうしてこんなところにわざわざ土地を買ったのか、俺にはよくわからない。きっとアメリカ軍関係のルートから安く払い下げてもらったんだろうと思う。君も見てのとおり、実際ここは交通の便がひどく悪いから、夏はともかく、一度雪が積ってしまうと、まるで使いものにならない。占領軍も道路を整備してレーダー基地か何かに使うつもりらしかったんだが、結局手間と費用を考えてやめたんだ。もちろん町も貧乏だから、道路をいじることなんてできない。道路を整備したって何の役にも立つわけじゃないからね。そんなわけでこの土地は見捨てられた土地になったんだ」

「羊博士はここに帰りたがらなかったのかい？」

「羊博士はずっと記憶の中に住んでいるのさ。あの人はどこにも帰りたがらないよ」

「そうかもしれない」と僕は言った。

「もっとビールを飲めよ」と鼠は言った。

いらない、と僕は言った。ストーブを消しているおかげで体の芯まで凍えてしまいそうだった。鼠はふたをあけて、一人でビールを飲んだ。

「父親はすっかりこの土地が気に入って、自分で幾らか道もなおしたし、家にも手を入れた。ずいぶん金がかかったと思うよ。しかしそのおかげで車さえあれば少くとも夏場はまともな生活が送れるようになった。暖房装置やら水洗便所やらシャワーやら電話やら非常用の自家発電装置やらね。まったく羊博士がここでどんな風に暮していたのか、俺には見当もつかないよ」

鼠はげっぷともため息ともつかない音をたてた。

「一九五五年から一九六三年ごろまで、我々は夏になるとここに来たもんだよ。両親と姉と俺と、それから雑用をやってくれる女の子とね。考えてみれば、あれは俺の人生ではいちばんまともな時代だったな。今でもそうだけれど、牧草地を町に貸していたから、夏になるとここは町の羊でいっぱいになったんだ。羊だらけだよ。だから俺の夏の記憶というといつも羊に結びついてるんだ」

別荘を持つというのがどういうことなのか僕にはよくわからなかった。たぶん一生わからないのだろう。

「しかし六〇年代の半ばごろから、家族は殆んどここにはこなくなってしまったんだ。家からもっと近いところにもうひとつ別荘を持ったせいもあるし、姉が結婚しちゃったせいもあるし、俺が家族としっくりいかなかったせいもあるし、父親の会社がしばらくごたごたしていたせいもあるし、まあなにやかやさ。とにかく、そんな風にしてこの土地は再び見捨てられた。俺が最後にここに来たのは一九六七年だったかな。その時は一人で来たんだよ。一人で一ヵ月ここで暮した」

鼠はそこで何かを思い出すように少し口をつぐんだ。

「淋しくなかった？」と僕は訊ねてみた。

「淋しくなんかないさ。できればずっとここにいたかったよ。でもそうはいかない。だってここは父親の家だからね。父親の世話になりたくなかったんだ」

「今だってそうだろう？」

「そうだよ」と鼠は言った。「だから俺はここにだけは来ないつもりだったんだ。でも札幌のいるかホテルのロビーでここの写真を偶然見た時、どうしても一目見ておきたくなったんだ。どちらかというと感傷的な理由でね。君だってそういうことはあるだろう？」

「うん」と僕は言った。そして埋めたてられてしまった海のことを思い出した。

「そしてそこで羊博士の話を聞いたんだ。背中に星のしるしのついた夢の中の羊の話さ。そのことは知ってるね？」

「知ってるよ」

「あとのことは簡単に話そう」と鼠は言った。「俺はその話を聞いて、急にここで冬を越してみたくなったんだよ。この気持だけはどうしても捨てられなかった。父親がどうとか、そんなことはもうどうでもよくなってしまったのさ。そして俺は装備を整えてここにやってきたんだ。まるで何かにおびき寄せられるみたいにね」

「そしてその羊に会ったんだね？」

「そのとおり」と鼠は言った。

☜

「そのあとのことを話すのはとても辛い」と鼠は言った。「この辛さはどんな風にしゃべっても君にわかってもらえないんじゃないかと思う」

鼠は空になったふたつめのビール缶を指でへこませた。「できれば君の方から質問してくれないか？　君にももうだいたいのところはわかっているんだろう？」

僕は黙って肯いた。「質問の順序がばらばらになるけどかまわないか？」

「かまわないよ」

「君はもう死んでるんだろう?」

鼠が答えるまでにおそろしいほど長い時間がかかった。ほんの何秒であったのかもしれないが、それは僕にとっておそろしく長い沈黙だった。口の中がからからに乾いた。

「そうだよ」と鼠は静かに言った。「俺は死んだよ」

12 時計のねじをまく鼠

「台所のはりで首を吊ったんだ」と鼠は言った。「羊男がガレージのわきに埋めてくれた。死ぬことはそれほど苦しくはなかったよ。もし君がそれを心配してくれているのならね。でも本当はそんなことはどうでもいいんだ」

「いつ?」

「君がここに来る一週間前だよ」

「その時に時計のねじを巻いたんだね？」

鼠は笑った。「まったく不思議なもんさ。だって三十年にわたる人生の最後の最後にやったことが時計のねじを巻くことなんだぜ。死んでいく人間が何故時計のねじなんて巻くんだろうね。おかしなもんだよ」

鼠が黙るとあたりはしんとして、時計の音だけが聞こえた。雪がそれ以外の全ての音を吸いこんでいた。まるで宇宙の中に我々二人だけがとり残されたような気分だった。

「もし……」

「よせよ」と鼠が僕の言葉を遮った。「もうもしはないんだよ。君にもそれはわかっているはずだ。そうだろ？」

僕は首を振った。僕にはわからないのだ。

「もし君が一週間早くここに来ていたとしても、やはり俺は死んでいたよ。そりゃ、もっと明るくて暖かいところで会えたかもしれない。でも、同じさ。俺が死ななくちゃならなかったことには変りないんだ。もっと辛くなっただけさ。それにそういう辛さには俺はきっと耐えられないよ」

「なぜ死ななくちゃいけなかったんだ？」

暗闇の中で手のひらをこすりあわせる音が聞こえた。

「それについてはあまりしゃべりたくないんだ。結局は自己弁護になってしまうからね。死人が自己弁護するくらいみっともないことはないと思わないか？」

「でも君がしゃべらなきゃ僕にはわからないよ」

「ビールをもっと飲めよ」

「寒いんだ」と僕は言った。

「もうそれほど寒くはないよ」

僕は震える手で缶のプルリングを開けビールを一口飲んだ。飲んでみると、たしかにもうそれほど寒くはなかった。

「簡単に言うよ。君が誰にもしゃべらないって約束してくれればね」

「僕がしゃべったとして、いったい誰が信用する？」

「そりゃそうだな」と鼠は言って笑った。

「きっと誰も信用しないね。馬鹿げたことだもんな」

時計が九時半の鐘を打った。

「時計を止めていいかな？」と鼠が訊ねた。「うるさいんだ」

「もちろんいいよ。君の時計だよ」

鼠は立ち上って柱時計の扉を開け、振り子を止めた。あらゆる音とあらゆる時間が地表から姿を消した。

「簡単に言うと、俺は羊を呑み込んだまま死んだんだ」と鼠は言った。「羊がぐっすりと寝込むのを待ってから台所のはりにロープを結んで首を吊ったんだ。奴には逃げだす暇もなかった」

「本当にそうしなきゃならなかったのか？」

「本当にそうしなきゃならなかったんだよ。もう少し遅かったら羊は完全に俺を支配していただろうからね。最後のチャンスだったんだ」

鼠はもう一度手のひらをこすりあわせた。「俺はきちんとした俺自身として君に会いたかったんだ。俺自身の記憶と俺自身の弱さを持った俺自身としてね。君に暗号のような写真を送ったのもそのせいなんだ。もし偶然が君をこの土地に導いてくれるとしたら、俺は最後に救われるだろうってね」

「それで救われたのかい？」

「救われたよ」と鼠は静かに言った。

「キー・ポイントは弱さなんだ」と鼠は言った。「全てはそこから始まってるんだ。きっとその弱さを君は理解できないよ」

「人はみんな弱い」

「一般論だよ」と言って鼠は何度か指を鳴らした。「一般論をいくら並べても人はどこにも行けない。俺は今とても個人的な話をしてるんだ」

僕は黙った。

「弱さというのは体の中で腐っていくものなんだ。まるで壊疽《えそ》みたいにさ。俺は十代の半ばからずっとそれを感じつづけていたんだよ。だからいつも苛立っていた。自分の中で何かが確実に腐っていくというのが、またそれを本人が感じつづけるというのがどういうことか、君にわかるか？」

僕は毛布にくるまったまま黙っていた。

「たぶん君にはわからないだろうな」と鼠は続けた。「君にはそういう面はないからね。しかしとにかく、それが弱さなんだ。弱さというのは遺伝病と同じなんだよ。どれだけわかっていても、自分でなおすことはできないんだ。何かの拍子に消えてしまうものでもない。どんどん悪くなっていくだけさ」

「何に対する弱さなんだ？」

「全てだよ。道徳的な弱さ、意識の弱さ、そして存在そのものの弱さ」

僕は笑った。今度はうまく笑うことができた。「だってそんなことを言い出せば弱くない人間なんていないぜ」

「一般論は止そう。さっきも言ったようにさ。もちろん人間はみんな弱さを持っている。しかし本当の弱さというものは本当の強さと同じくらい稀なものなんだ。たえまなく暗闇にひきずりこまれていく弱さというものを君は知らないんだ。そしてそういうものが実際に世の中に存在するのさ。何もかもを一般論でかたづけることはできない」

僕は黙っていた。

「だからこそ俺はあの街を出た。これ以上堕《お》ちていく自分を人前に曝《さら》したくなかったんだ。君も含めてね。一人で知らない土地を歩きまわっていれば、少くとも誰にも迷惑をかけずに済む。結局のところ」と言ってから、鼠はひとしきり暗い沈黙の中に沈みこんだ。

「結局のところ、俺が羊の影から逃げきれなかったのもその弱さのせいなんだよ。俺自身にはどうにもならなかったんだ。たぶんその時君がすぐに来てくれたとしても俺にはどうしようもなかっただろうと思うよ。もし決心して山を下りたとしても同じだったよ。俺はきっとそこに再び戻っただろうからね。弱さというのはそういうものなんだよ」

「羊は君に何を求めたんだ？」

「全てだよ。何から何まで全てさ。俺の体、俺の記憶、俺の弱さ、俺の矛盾……羊はそういうものが大好きなんだ。奴は触手をいっぱい持っていてね、俺の耳の穴や鼻の穴にそれをつっこんでストローで吸うみたいにしぼりあげるんだ。そういうのって考えるだけでぞっとするだろう？」

「その代償は？」

「俺にはもったいないくらい立派なものだよ。もっとも羊はきちんとした形でそれを俺に示してくれたわけじゃないけれどね。俺はあくまでそのほんの一部を見ただけにすぎないんだ。それでも……」

鼠は黙った。

「それでも、俺は叩きのめされたよ。どうしようもないくらいね。それを言葉で説明することはできない。それはちょうど、あらゆるものを呑みこむるつぼなんだ。気が遠くなるほど美しく、そしておぞましいくらいに邪悪なんだ。そこに体を埋めれば、全ては消える。意識も価値観も感情も苦痛も、みんな消える。宇宙の一点に凡《あらゆ》る生命の根源が出現した時のダイナミズムに近いものだよ」

「でも君はそれを拒否したんだね？」

「そうだよ。俺の体と一緒に全ては葬られたんだ。あとひとつだけ作業をすれば、永遠に葬られる」

「あとひとつ？」

「あとひとつだよ。それはあとで君にやってもらうことになる。しかし今はその話はよそう」

我々は同時にビールを飲んだ。少しずつ体が暖かくなっていった。

「血瘤《けつりゅう》は鞭《むち》のようなものなんだね？」と僕は質問した。「羊が宿主をあやつるための」

「そのとおりだよ。あれができてしまうともう羊からは逃れられないんだ」

「先生の目指していたものはいったい何だったんだ？」

「彼は狂っていたんだよ。きっとあのるつぼの風景に耐えられなかったんだな。羊は彼を利用して強大な権力機構を作りあげた。そのために羊は彼の中に入りこんだんだ。いわば使い捨てさ。思想的にはあの男はゼロさ」

「そして先生が死んだあとに君を利用してその権力機構を引き継ぐことになっていたんだね」

「そうだよ」

「そのあとには何が来ることになっていたんだ？」

「完全にアナーキーな観念の王国だよ。そこではあらゆる対立が一体化するんだ。その中心に俺と羊がいる」

「何故拒否したんだ？」

時は死に絶えていた。死に絶えた時の上に音もなく雪が積っていた。

「俺は俺の弱さが好きなんだよ。苦しさや辛さも好きだ。夏の光や風の匂いや蟬の声や、そんなものが好きなんだ。どうしようもなく好きなんだ。君と飲むビールや……」鼠はそこで言葉を呑みこんだ。「わからないよ」

僕は言葉を探した。しかし言葉はみつからなかった。僕は毛布にくるまったまま暗闇の奥をみつめた。

「我々はどうやら同じ材料から全くべつのものを作りあげてしまったようだね」と鼠は言った。

「君は世界が良くなっていくと信じてるかい？」

「何が良くて何が悪いなんて、誰にわかるんだ？」

鼠は笑った。「まったく、もし一般論の国というのがあったら、君はそこで王様になれるよ」

「羊抜きでね」

「羊抜きでだよ」鼠は三本めのビールを一息に飲み干し、空き缶をかたんと床に置いた。「君はなるべく早く山を下りた方がいいな。雪にとじこめられちまわないうちにさ。こんなところで一冬送りたくはないだろう。おそらくあと四、五日で雪が積りはじめるし、凍りついた山道は越えるのが骨なんだ」

「君はどうする？」

鼠は暗闇の奥で楽しそうに笑った。「おれにはもうこれから、なんてものはないんだよ。一冬かけて消えるだけさ。その一冬というのがどの程度長いものなのか俺にはわからないが、とにかく一冬は一冬さ。君に会えて嬉しかったよ。できればもっと暖かくて明るいところで会いたかったけれどね」

「ジェイがよろしくって言ってたよ」

「俺からもよろしくって言っておいてくれないか」

「彼女にも会ったよ」

「どうだった？」

「元気だったよ。まだ同じ会社に勤めてたよ」

「じゃあまだ結婚してないんだね？」

「うん」と僕は答えた。「終ったのか終ってないのかって、君に訊きたがってた」

「終ったんだよ」と鼠は言った。「俺一人の力で終らせることはできなかったにしても、とにかく終ったんだ。俺の人生は何の意味もない人生だった。しかしもちろん君の好きな一般論を借りれば、誰の人生だって何の意味もないということになる。そうだね？」

「そうだ」と僕は言った。「最後にふたつだけ質問がある」

「いいとも」

「まずひとつは羊男のことだ」

「羊男はいい奴だよ」

「ここに来た時の羊男は君だったんだろう？」

鼠は首を回してぽきぽきという音を立てた。「そうだよ。彼の体を借りたんだ。君にはちゃんとわかっていたんだね？」

「途中からさ」と僕は言った。「途中まではわからなかったよ」

「正直言って君がギターを叩き割った時には驚いたよ。君があんなに腹を立てるのを見たのははじめてだったし、それにあれは俺が最初に買ったギターだったんだぜ。安物だけどさ」

「悪かったよ」と僕は謝った。「君を驚かしてひっぱりだそうと思っただけなんだ」

「まあいいさ。明日になればどうせ何もかも消えちまうんだ」鼠はあっさりとそう言った。「それで、もうひとつの質問というのは君のガール・フレンドのことだろう？」

「そうだよ」

鼠は長いあいだ黙っていた。手がこすりあわされ、それからため息が聞えた。「彼女のことについてはできれば話したくなかったんだ。彼女は計算外のファクターだったからね」

「計算外？」

「うん。俺としてはこれは内輪だけのパーティーのつもりだったんだ。そこにあの子が入りこんできた。俺たちはあの子を巻き込むべきじゃなかったんだ。君も知っているようにあの子は素晴しい能力を持っている。いろんなものを引き寄せる能力さ。でもここには来るべきじゃなかった。ここは彼女の能力を遥かに超えた場所なんだ」

「彼女はどうなったんだ？」

「彼女は大丈夫だよ。元気だよ」と鼠は言った。「ただ彼女はもう君をひきつけることはないだろうね。可哀そうだとは思うけれどね」

「何故？」

「消えたんだよ。彼女の中で何かが消えてしまったんだ」

僕は黙りこんだ。

「君の気持はわかるよ」と鼠は続けた。「でもそれは遅かれ早かれいつかは消えるはずのものだったんだ。俺や君や、それからいろんな女の子たちの中で何かが消えていったようにね」

僕は肯いた。

「そろそろ俺は行くよ」と鼠は言った。「あまり長くはいられないんだ。きっとまたどこかで会えるだろう」

「そうだね」と僕は言った。

「できればもう少し明るいところで、季節が夏だといいな」と鼠は言った。「最後にひとつだけ。明日の朝九時に柱時計をあわせて、それから柱時計の裏に出ているコードを接続しておいてほしいんだ。緑のコードと緑のコード、赤のコードと赤のコードをつなぐ。そして九時半にここを出て山を下りてほしい。十二時にちょっとした仲間うちでのお茶の会があるんだ。いいね」

「そうするよ」

「君に会えて嬉しかったよ」

沈黙が一瞬我々二人を包んだ。

「さようなら」と鼠は言った。

「また会おう」と僕は言った。

僕は毛布にくるまったままじっと目を閉じて耳を澄ませていた。鼠は乾いた靴音を立ててゆっくりと部屋を横切り、ドアを開けた。凍りつくような冷気が部屋に入り込んできた。風はなく、じっくりと浸み込むような沈んだ冷気だった。

鼠はドアを開けたまま、しばらく戸口にたたずんでいた。彼は外の風景でもなく、部屋の内部でもなく、僕の姿でもない、まったくべつの何かをじっと眺めているようだった。ドアのノブか自分の靴先でも眺めているような、そんな感じだった。それから時間の扉を閉めるように、小さなかちりという音を立ててドアを閉じた。

あとには沈黙だけが残った。沈黙の他には何も残らなかった。

13　緑のコードと赤いコード・凍えたかもめ

　鼠が姿を消してしばらくしてから、耐えがたいほどの悪寒がやってきた。洗面所で何度か吐こうとしたが、かすれた息の他には何ひとつ出て来なかった。

　僕は二階に上り、セーターを脱いでベッドに潜り込んだ。悪寒と高熱が交互にやってきた。部屋はそのたびに広がったり縮んだりした。毛布や下着が汗でぐっしょりと濡れ、それが冷えるとしめあげるような寒さにかわった。

「九時に時計を巻いて」と誰かが僕の耳もとで囁いていた。「緑のコードは緑のコードに……赤のコードは赤のコードに……九時半にここを出て……」

「大丈夫だよ」と羊男が言った。「うまくいくよ」

「細胞がいれかわっていくのよ」と妻は言った。彼女は白いレースのスリップを右手にかかえていた。

無意識に首が十センチも左右に振れた。

赤のコードは赤のコードに……緑のコードは緑のコードに……

「あなたにはまるで何もわかってないのね」とガール・フレンドが言った。そうだ、僕にはまるで何もわかっていなかったのだ。

波の音が聞こえた。冬の重い波だ。鉛色の海と襟音のような白い波。凍えたかもめ。

僕は密閉された水族館の展示室にいる。鯨のペニスが何本も並んでいて、ひどく暑く息苦しい。誰かが窓を開けるべきなのだ。

「駄目です」と運転手が言う。「一度開けると二度と閉じることはできないんです。そんなことになったら、我々はみんな死んでしまいます」

誰かが窓を開ける。ひどく寒い。かもめの声が聞こえる。彼らのとがった声は僕の肌を切り裂く。

「あなたは猫の名前を覚えていますか？」

「いわし」と僕は答える。

「いいえ、いわしじゃありません」と運転手は言う。「名前はもう変ったんです。名前はすぐに変ります。あなたは自分の名前だってわからないじゃありませんか」

ひどく寒い。それにかもめの数が多すぎる。

「凡庸さはとても長い道を歩む」と黒服の男が言った。「緑のコードが赤いコードで、赤いコードが緑のコードだ」

「戦争について何か聞いたかい？」と羊男が訊ねた。

ベニー・グッドマン・オーケストラが「エアメイル・スペシャル」を演奏しはじめた。チャーリー・クリスチャンが長いソロを取った。彼はクリーム色のソフト帽をかぶっていた。それが僕の覚えている最後のイメージだった。

14　不吉なカーブ再訪

鳥が鳴いていた。

太陽の光がブラインドのすきまから縞模様になってベッドに降っていた。床に落ちた腕時計は七時三十五分を指していた。毛布とシャツはバケツいっぱいぶんの水をこぼしたくらいぐっしょりと濡れていた。

頭はまだぼんやりとくすんでいたが、熱は去っていた。窓の外は一面の雪景色だった。新しい朝の光の下で、草原は銀色に輝いていた。冷気が肌に心地良かった。

僕は階下に下りて熱いシャワーを浴びた。顔色はいやに白んで、一晩で頰の肉がげっそりと落ちていた。僕はいつもの三倍ぶんのシェービング・クリームを顔じゅうに塗って丁寧に髭を剃った。そして自分でも信じられないほどの量の小便をした。

小便を済ませてしまうと力が抜け、バス・ローブのまま十五分も長椅子の上に寝転んでいた。

鳥が鳴きつづけていた。雪が溶けはじめ、軒からぽつぽつとしずくが落ちていた。時々遠くでぴしりという鋭い音がした。

八時半になってから僕は葡萄ジュースを二杯飲み、りんごを丸ごと一個かじった。そして荷物をまとめた。地下室から白ワインを一本とハーシーの大きなチョコレートを一枚、それからりんごを二個もらうことにした。

荷物をまとめてしまうと部屋の中に哀し気な空気が漂った。なにもかもが終ろうとしているのだ。

僕は腕時計が九時になるのを確認してから柱時計の三本の分銅を巻き上げ、針を九時にあわせた。そして重い時計をずらして、後に出ている四本のコードをつなぎあわせた。緑のコードを……緑のコードだ。そして赤のコードを赤のコードに。コードは背板にきりであけられた四つの穴から出ていた。上方から一組、下方から一組。コードはジープの中にあったのと同じ針金でしっかりと時計に固定されていた。僕は柱時計をもとに戻してから、鏡の前に立って僕自身に最後のあいさつをした。

「うまくいくといいね」と僕は言った。

「うまくいくといいね」と相手は言った。

僕は来た時と同じように草原のまんなかを横切った。足もとで雪がざくざくと音を立てた。足あとひとつない草原は銀色の火口湖のように見えた。振り返ると僕の足あとが一列に家まで続いていた。足あとは意外なほど曲っている。まっすぐ歩くのは簡単なことではないのだ。

遠くに離れてみると、家はまるで生きもののように見えた。家が窮屈そうに体をよじると、駒形屋根から雪がふるい落とされた。雪の塊りが音をたてて屋根の傾斜をすべり、地面に落ちて砕けた。

僕は歩きつづけ、草原を横切った。そして長い長い白樺林を抜け、橋をわたり、円錐形の山に沿ってぐるりとまわって、嫌なカーブに出た。

カーブに積った雪はうまい具合に凍りついてはいなかった。しかしどれだけしっかりと雪を踏みしめても、奈落の底にひきずりこまれてしまうようなあの嫌な気分から逃れることはできなかった。僕はぼろぼろと崩れる崖にしがみつくようにしてそのカーブを歩ききった。腋の下が汗でぐっしょりと濡れた。まるで子供の頃に見た悪夢のようだ。

右手に平野が見えた。平野もまた雪に覆われていた。そのまんなかを十二滝川が眩《まぱゆ》く輝きながら流れていた。汽笛が遠くに聞こえたような気がした。素晴しい天気だった。

僕は一息ついてからリュックを背負い、なだらかな下り道を歩いた。次の角を曲ったところに見覚えのない新しいジープが停まっていた。ジープの前にはあの黒服の秘書が立っていた。

15　十二時のお茶の会

「待ってた」と黒服の男は言った。「といっても二十分ばかりだけどね」

「なぜわかったんですか?」

「場所のことかい? それとも時間のこと?」

「時間のことですよ」と僕は言ってリュックを下ろした。

「私がいったいどうして先生の秘書になれたと思う? 努力? IQ? 要領? まさか。その理由は私に能力があったからさ。勘だよ。君たちの言葉に即して言えばね」

男はベージュのダウン・ジャケットにスキー用のズボンをはき、緑色のレイバン・グラスをかけていた。

「私と先生の間にはいろいろと共通する部分があった。たとえば理性とか論理とか倫理を超えた種類のものに対するね」

「あった？」

「先生は一週間前に亡くなったよ。とても立派な葬儀だったね。今東京はその後継者選びでてんやわんやだよ。凡庸な連中が何やかやと飛びまわっている。御苦労なことさ」

僕はため息をついた。男は上着のポケットから銀色のシガレット・ケースを出し、そこから両切り煙草を取り出して火を点けた。

「吸うかい？」

「いや」と僕は言った。

「まったく君はよくやってくれたよ。期待以上だったよ。正直なところ、私は驚いているんだ。もっとも、君が手詰りになったら少しずつヒントを与えていくつもりではあったんだけれどね。それにしても羊博士との巡り会いなんて絶妙だったよ。できれば私の下で働いてほしいくらいだね」

「はじめからここがわかっていたんですね？」

「あたりまえさ。いったい私をなんだと思ってるんだ」

「質問してもいいですか」

「いいよ」と男は機嫌良さそうに言った。「手短かにね」

「なぜ最初から場所を教えてくれなかったんですか？」

「君に自発的に自由意志でここに来てほしかったからさ。そして彼を穴倉からひっぱりだしてほしかったんだ」

「穴倉？」

「精神的な穴倉だよ。人は羊つきになると一時的な自失状態になるんだ。まあシェル・ショックのようなもんだね。そこから彼をひっぱり出すのが君の役目だったのさ。しかし彼に君を信用させるには君が白紙でなくてはならなかった、ということだよ。どうだい、簡単だろう？」

「そうですね」

「種をあかせばみんな簡単なんだよ。プログラムを組むのが大変なんだ。コンピューターは人間の感情のぶれまでは計算してくれないからね、まあ手仕事だよ。しかし苦労して組んだプログラムが思いどおりにはこんでくれれば、これに勝る喜びはない」

僕は肩をすくめた。

「さて」と男はつづけた。「羊をめぐる冒険は結末に向いつつある。私の計算と君の無邪気さのおかげだ。私は彼を手に入れる。そうだね」

「らしいですね」と僕は言った。「彼はあそこで待っていますよ。十二時ちょうどにお茶の会があるそうです」

僕と男は同時に腕時計を見た。十時四十分だった。

「私はそろそろ行くよ」と男は言った。「待たせちゃ悪いからね。君は下までジープで送ってもらうといい。それからこれが君の報酬だ」

男は胸のポケットから小切手を出して僕に手渡した。僕は金額を見ずにそれをポケットにつっこんだ。

「確かめなくていいのかい？」

「そんな必要もないでしょう」

男は楽しそうに笑った。「君と一緒に仕事ができて愉快だったよ。それから、君の相棒は会社を解散したよ。惜しいことさ。前途洋々だったのにね。広告産業はこれからもっと伸びるぜ。君が一人でやればいいよ」

「あなたは気が狂ってるんだ」と僕は言った。

「またいつか会おう」と男は言った。そしてカーブを台地に向って歩いていった。

「いわしは元気ですよ」と運転手はジープを運転しながら言った。「まるまると太っちゃいましてね」

僕は運転手の隣りに座っていた。彼はあの化け物のような車に乗っている時とは別人に見えた。彼は先生の葬儀や猫の世話についていろいろと話してくれたが、僕は殆《ほと》んど聞いていなかった。

ジープが駅に着いたのは十一時半だった。町は死んだように静かだった。老人が一人、シャベルでロータリーの雪をかきわけていた。やせた犬がその隣りで尻尾《しっぽ》を振っていた。

「どうもありがとう」と僕は運転手に言った。

「どういたしまして」と彼は言った。「それから、あの神様の電話番号ためしてみました?」

「いや、暇がなくてね」

「先生が亡くなって以来、通じなくなっちゃったんです。いったいどうしたんでしょうねえ？」

「きっと忙しいんだよ」と僕は言った。

「そうかもしれませんね」と運転手は言った。「じゃあ、お元気で」

「さようなら」と僕は言った。


上り列車は十二時ちょうどの発車だった。ホームに人影はなく、列車の乗客も僕を含めて四人だった。それでも久し振りに見る人々の姿は僕をほっとさせた。何はともあれ、僕は生ある世界に戻ってきたのだ。たとえそれが退屈さにみちた凡庸《ぼんよう》な世界であるにせよ、それは僕の世界なのだ。

僕はチョコレートをかじりながら発車のベルを聞いた。ベルが鳴り終り、列車ががたんと音を立てた時、遠い爆発音が聞こえた。僕は窓を思い切り押し上げ、首を外につきだした。爆発音は十秒間を置いて二度聞こえた。列車は走り出していた。三分ばかりあとで、円錐形の山のあたりから一筋の黒い煙が立ちのぼるのが見えた。

列車が右にカーブを切るまで、僕は三十分もその煙をみつめていた。

エピローグ

「何もかも終ったんだな」と羊博士は言った。「何もかも終った」

「終りました」と僕は言った。

「きっと君に感謝しなくちゃいけないんだろうな」

「僕はいろんなものを失いました」

「いや」と羊博士は首を振った。「君はまだ生き始めたばかりじゃないか」

「そうですね」と僕は言った。

部屋を出る時、羊博士は机にうつぶせになって声を殺して泣いていた。僕は彼の失われた時間を奪い去ってしまったのだ。それが正しいことなのかどうか、僕には最後までわからなかった。

「どこかに行ってしまわれました」といるかホテルの支配人は哀しそうに言った。「行き先はおっしゃいませんでした。体の具合がお悪そうで」

「いいんですよ」と僕は言った。

僕は荷物を受け取り、前と同じ部屋に泊った。部屋の窓からは前と同じわけのわからない会社が見えた。乳房の大きな女の子の姿は見えなかった。若い男の社員が二人で煙草を吸いながらデスク・ワークをしていた。一人が数字を読みあげ、一人が定規を使って大きな紙に折れ線グラフを描いていた。乳房の大きな女の子がいないせいで会社は以前とはまったく別の会社に見えた。何の会社なのかさっぱりわからないというところだけが同じだった。六時になると全員が引きあげ、ビルはまっ暗になった。

僕はテレビをつけてニュースを見た。山の上の爆発事故についてのニュースはなかった。そうだ、爆発事故は昨日のことなんだっけ。いったい僕は一日どこにいて、何をしてたんだろう？　思い出そうとすると頭が痛んだ。

とにかく一日が経ったのだ。

こんな風にして一日一日と僕は「記憶」から遠ざかっていくのだ。いつか漆黒《しっこく》の闇の中に再び遠い声を聞くまで。

僕はテレビのスイッチを切り、靴をはいたままベッドに横になった。そして一人ぼっちでしみだらけの天井を眺めた。天井のしみは遠い昔に死んで誰からも忘れ去られてしまった人々を思い出させた。

何色かのネオンが部屋の色あいを変えた。耳もとで腕時計の音が聞こえた。僕は時計のベルトを外して床に放り投げた。自動車のクラクションがやわらかく重なりあっていた。眠ろうとしたが眠れなかった。言葉にならない気持を胸に抱いたまま眠ることなんてできないのだ。

僕はセーターを着て街に出て最初に目についたディスコティックに入り、ノン・ストップのソウル・ミュージックを聴きながらオン・ザ・ロックをダブルで三杯飲んだ。それで少しまともになった。まともにならなくてはいけないのだ。みんなが僕にまともになることを求めているのだ。

いるかホテルに戻ると三本指の支配人は長椅子に座ってテレビの最終ニュースを見てい

た。

「明日の九時に発ちます」と僕は言った。

「東京にお帰りになるんですか？」

「いや」と僕は言った。「その前に寄るところがあるんですよ。八時に起こして下さい」

「いいですとも」と彼は言った。

「いろいろありがとう」

「どういたしまして」それから支配人はため息をついた。

「父が食事を食べないんです。あのままじゃ、死んでしまいます」

「辛いことがあったんですよ」

「知ってます」と支配人は悲しそうに言った。「でも父親は私には何も教えてくれないんです」

「きっと今に何もかもうまく行きますよ」と僕は言った。「時間さえ経てばね」

翌日の昼食は飛行機の中で食べた。飛行機は羽田に立ち寄り、それからもう一度飛び立った。左手にずっと海が光っていた。

☜

ジェイはあいかわらずじゃが芋をむいていた。アルバイトの若い女の子が花瓶《かびん》の水をかえたり、テーブルを拭いたりしていた。北海道から街に帰ると、まだ秋は残っていた。ジェイズ・バーの窓から見える山は綺麗に紅葉していた。僕は開店前のカウンターに座ってビールを飲んでいた。ピーナツの殻を片手で割るとぱりっという気持の良い音がした。

「そんな風に気持良く割れるピーナツを仕入れるのも大変なんだよ」とジェイは言った。

「へえ」と僕はピーナツをかじりながら言った。

「ところでまた休暇なのかい？」

「やめたんだ」

「やめた？」

「話すと長くなる」

ジェイはじゃが芋を全部むき終えると大きなざるで洗い、水を切った。「それでこれからどうするの？」

「わからないよ。僕の退職金プラス共同経営権の買い取りぶんが少し入る。たいした金じゃないけれどね。それからこういうのもある」

僕はポケットから小切手を出して金額を見ずにジェイに渡した。ジェイはそれを眺めて首を振った。

「凄い金額だけど、どことなくうさん臭そうだね」

「実にそのとおりさ」

「でも話すと長くなるんだろう？」

僕は笑った。「それをあんたに預けとくよ。店の金庫に入れといてくれよ」

「金庫なんてどこにあるんだい？」

「レジでいいじゃないか」

「銀行の貸金庫に入れといてやるよ」とジェイは心配そうに言った。「でもこれをどうするんだい？」

「ねえ、ジェイ、この店に移る時に金がかかったんだろ？」

「かかったよ」

「借金は？」

「ちゃんとあるよ」

「その小切手ぶんで借金は返せるかい？」

「お釣りがくるよ。でも……」

「どうだろう、そのぶんで僕と鼠をここの共同経営者にしてくれないかな？　配当も利子もいらない。ただ名前だけでいいんだよ」

「でもそれじゃ悪いよ」

「いいさ、そのかわり僕と鼠に何か困ったことが起きたらその時はここに迎え入れてほしいんだ」

「これまでだってずっとそうして来たじゃないか」

　僕はビールのグラスを持ったまま、じっとジェイの顔を見た。「知ってるよ。でもそうしたいんだ」

　ジェイは笑ってエプロンのポケットに小切手をつっこんだ。「あんたがはじめて酔払った時のことをまだ覚えてるよ。あれは何年前だっけね？」

た。

「しつけの良い子は長居をしないんだよ」と僕は言った。

「まだ来たばかりじゃないか」とジェイは言った。

「鼠に会ったんだろ？」

「それも長い話なんだね？」

僕はカウンターに両手を置いたまま深呼吸をした。「会ったよ」

「あんたがこれまでに聞いたことがないくらい長い話だよ」

「端折《はしょ》ることもできない？」

「端折ると意味がなくなっちゃうんだ」

「元気だった？」

「元気だったよ。あんたに会いたがってた」

「いつか会えるかな？」

「会えるさ。共同経営者だもの。その金は僕と鼠とで稼いだんだぜ」

ジェイは珍しく三十分も昔話をした。ぱらぱらと客が入ってきたところで僕は腰を上げ
「もうそんなになるんだね」
「十三年前」

「とても嬉しいよ」

僕はカウンター椅子から下りると懐しい店の空気を吸い込んだ。

「ところで共同経営者としてはピンボールとジュークボックスが欲しいな」

「今度来るまでに揃えとくよ」とジェイは言った。

☞

僕は川に沿って河口まで歩き、最後に残された五十メートルの砂浜に腰を下ろし、二時間泣いた。そんなに泣いたのは生まれてはじめてだった。二時間泣いてからやっと立ち上ることができた。どこに行けばいいのかはわからなかったけれど、とにかく僕は立ち上り、ズボンについた細かい砂を払った。

日はすっかり暮れていて、歩き始めると背中に小さな波の音が聞こえた。

この作品は、「群像」一九八二年八月号に掲載され、同年十月に小社より単行本として発売されました。本書は一九八三年九月に発売された文庫版を新デザインにしたものです。

羊《ひつじ》をめぐる冒険《ぼうけん》(下)

村上春樹《むらかみはるき》

2004年11月15日第1刷発行
2009年6月15日第15刷発行

発行者——鈴木　哲

発行所——株式会社　講談社
東京都文京区音羽2-12-21　〒112-8001
電話　出版部（03）5395-3510
販売部（03）5395-5817
業務部（03）5395-3615

Printed in Japan

落丁本・乱丁本は購入書店名を明記のうえ、小社業務部あてにお送りください。送料は小社負担にてお取替えします。なお、この本の内容についてのお問い合わせは文庫出版部あてにお願いいたします。

ISBN4-06-274913-0

講談社文庫
定価はカバーに
表示してあります

デザイン—菊地信義
製版———豊国印刷株式会社
印刷———豊国印刷株式会社
製本———株式会社大進堂

講談社文庫刊行の辞

二十一世紀の到来を目睫に望みながら、われわれはいま、人類史上かつて例を見ない巨大な転換期をむかえようとしている。

世界も、日本も、激動の予兆に対する期待とおののきを内に蔵して、未知の時代に歩み入ろうとしている。このときにあたり、創業の人野間清治の「ナショナル・エデュケイター」への志を現代に甦らせようと意図して、われわれはここに古今の文芸作品はいうまでもなく、ひろく人文・社会・自然の諸科学から東西の名著を網羅する、新しい綜合文庫の発刊を決意した。

激動の転換期はまた断絶の時代である。われわれは戦後二十五年間の出版文化のありかたへの深い反省をこめて、この断絶の時代にあえて人間的な持続を求めようとする。いたずらに浮薄な商業主義のあだ花を追い求めることなく、長期にわたって良書に生命をあたえようとつとめるところにしか、今後の出版文化の真の繁栄はあり得ないと信じるからである。

同時にわれわれはこの綜合文庫の刊行を通じて、人文・社会・自然の諸科学が、結局人間の学にほかならないことを立証しようと願っている。かつて知識とは、「汝自身を知る」ことにつきていた。現代社会の瑣末な情報の氾濫のなかから、力強い知識の源泉を掘り起し、技術文明のただなかに、生きた人間の姿を復活させること。それこそわれわれの切なる希求である。

われわれは権威に盲従せず、俗流に媚びることなく、渾然一体となって日本の「草の根」をかたちづくる若く新しい世代の人々に、心をこめてこの新しい綜合文庫をおくり届けたい。それは知識の泉であるとともに感受性のふるさとであり、もっとも有機的に組織され、社会に開かれた万人のための大学をめざしている。大方の支援と協力を衷心より切望してやまない。

一九七一年七月

野間省一

村野薫 死刑はこうして執行される
睦月影郎 義姉《あね》〈武芸者 冴木澄香〉
睦月影郎 有《う》情《じょう》〈武芸者 冴木澄香〉
睦月影郎 忍《しのび》萌《もえ》
森村誠一 暗黒流砂
森村誠一 殺人の花客
森村誠一 ホームアウェイ
森村誠一 殺人のスポットライト
森村誠一 殺人プロムナード
森村誠一 流星の降る町〈『星の町』改題〉
森村誠一 完全犯罪のエチュード
森村誠一 影の祭り
森村誠一 殺意の接点
森村誠一 レジャーランド殺人事件
森村誠一 殺意の逆流
森村誠一 情熱の断罪
森村誠一 残酷な視界
森村誠一 肉食の食客
森村誠一 死を描く影絵

森村誠一 エネミイ
森村誠一 深海の迷路
森村誠一 マーダー・リング
森村誠一 刺客の花道
森村誠一 殺意の造型
森村誠一 ラストファミリー
森村誠一 夢の原色
森村誠一 ファミリー
森村誠一 虹の刺客(上)(下)〈小説・伊達騒動〉
森村誠一 雪煙
森村誠一 殺人倶楽部
森瑤子 夜ごとの揺り籠、舟、あるいは戦場
守誠 3分単語〈1日3分「簡単パズル」で覚える・英単語〉
毛利恒之 月光の夏
毛利恒之 地獄の虹
毛利恒之 虹の絆〈ハワイ日系人 母の記録〉
森まゆみ 抱きしめる、東京〈町とわたし〉
森田靖郎 東京チャイニーズ〈裏歌舞伎町の流氓たち〉
森田靖郎 TOKYO犯罪公司《コンス》

森博嗣 すべてがFになる〈THE PERFECT INSIDER〉
森博嗣 冷たい密室と博士たち〈DOCTORS IN ISOLATED ROOM〉
森博嗣 笑わない数学者〈MATHEMATICAL GOODBYE〉
森博嗣 詩的私的ジャック〈JACK THE POETICAL PRIVATE〉
森博嗣 封印再度〈WHO INSIDE〉
森博嗣 まどろみ消去〈MISSING UNDER THE MISTLETOE〉
森博嗣 幻惑の死と使途〈ILLUSION ACTS LIKE MAGIC〉
森博嗣 夏のレプリカ〈REPLACEABLE SUMMER〉
森博嗣 今はもうない〈SWITCH BACK〉
森博嗣 数奇にして模型〈NUMERICAL MODELS〉
森博嗣 有限と微小のパン〈THE PERFECT OUTSIDER〉
森博嗣 地球儀のスライス〈A SLICE OF TERRESTRIAL GLOBE〉
森博嗣 黒猫の三角〈Delta in the Darkness〉
森博嗣 人形式モナリザ〈Shape of Things Human〉
森博嗣 月は幽咽のデバイス〈The Sound Walks When the Moon Talks〉
森博嗣 夢・出逢い・魔性〈You May Die in My Show〉
森博嗣 魔剣天翔〈Cockpit on knife Edge〉
森博嗣 今夜はパラシュート博物館へ〈THE LAST DIVE TO PARACHUTE MUSEUM〉
森博嗣 恋恋蓮歩の演習〈A Sea of Deceits〉

森 博嗣 六人の超音波科学者〈Six Supersonic Scientists〉
森 博嗣 捩れ屋敷の利鈍〈The Riddle in Torsional Nest〉
森 博嗣 朽ちる散る落ちる〈Rot off and Drop away〉
森 博嗣 赤緑黒白〈Red Green Black and White〉
森 博嗣 虚空の逆マトリクス〈INVERSE OF VOID MATRIX〉
森 博嗣 φ《ファイ》は壊れたね〈PATH CONNECTED φ BROKE〉
森 博嗣 θ《シータ》は遊んでくれたよ〈ANOTHER PLAYMATE θ〉
森 博嗣 τ《タウ》になるまで待って〈PLEASE STAY UNTIL τ〉
森 博嗣 議論の余地しかない〈A Space under Discussion〉
森 博嗣 探偵伯爵と僕〈His name is Earl〉
森 博嗣 レタス・フライ〈Lettuce Fry〉
森 博嗣 君の夢 僕の思考〈You will dream while I think〉
森 博嗣 四季 春～冬
森 博嗣 森博嗣のミステリィ工作室
森 博嗣 アイソパラメトリック
森 博嗣 悠悠おもちゃライフ
森 博嗣 ささきすばる絵 悪戯王子と猫の物語
森 博嗣 土屋賢二 人間は考えるFになる
森枝卓士 私的メコン物語〈食から覗くアジア〉

森 浩美 推定恋愛
森 浩美 two-years 推定恋愛
諸田玲子 鬼あざみ
諸田玲子 笠《かさ》雲《ぐも》
諸田玲子 からくり乱れ蝶
諸田玲子 其《そ》の一日《いちにち》
諸田玲子 天女湯おれん
諸田玲子 末世炎上
諸田玲子 昔日《せきじつ》より
森津純子 家族が「がん」になったら〈誰も教えてくれなかった介護法と心のケア〉
桃谷方子 百合祭
森 孝一 「ジョージ・ブッシュ」のアタマの中身〈アメリカ「超保守派」の世界観〉
本谷有希子 腑抜けども、悲しみの愛を見せろ
本谷有希子 江利子と絶対〈本谷有希子文学大全集〉
森下くるみ すべては「裸になる」から始まって
茂木健一郎 「赤毛のアン」に学ぶ幸福《しあわせ》になる方法
茂木健一郎 セレンディピティの時代〈偶然の幸運に出会う方法〉
山口瞳 常盤新平 編 新装版諸君！この人生、大変なんだ
山田風太郎 婆沙羅

山田風太郎 甲賀忍法帖〈山田風太郎忍法帖①〉
山田風太郎 忍法忠臣蔵〈山田風太郎忍法帖②〉
山田風太郎 伊賀忍法帖〈山田風太郎忍法帖③〉
山田風太郎 忍法八犬伝〈山田風太郎忍法帖④〉
山田風太郎 くノ一忍法帖〈山田風太郎忍法帖⑤〉
山田風太郎 魔界転生(上)(下)〈山田風太郎忍法帖⑥⑦〉
山田風太郎 江戸忍法帖〈山田風太郎忍法帖⑧〉
山田風太郎 柳生忍法帖(上)(下)〈山田風太郎忍法帖⑨⑩〉
山田風太郎 風来忍法帖〈山田風太郎忍法帖⑪〉
山田風太郎 かげろう忍法帖〈山田風太郎忍法帖⑫〉
山田風太郎 野ざらし忍法帖〈山田風太郎忍法帖⑬〉
山田風太郎 忍法関ヶ原〈山田風太郎忍法帖⑭〉
山田風太郎 妖説太閤記(上)(下)
山田風太郎 新装版戦中派不戦日記
山田風太郎 奇想小説集
山村美紗 三十三間堂の矢殺人事件
山村美紗 ヘアデザイナー殺人事件
山村美紗 京都新婚旅行殺人事件
山村美紗 大阪国際空港殺人事件

山村美紗　小京都連続殺人事件
山村美紗　グルメ列車殺人事件
山村美紗　天の橋立殺人事件
山村美紗　愛の立待岬
山村美紗　花嫁は容疑者
山村美紗　十二秒の誤算
山村美紗　京都・沖縄殺人事件
山村美紗　京都三船祭り殺人事件
山村美紗　京都絵馬堂殺人事件〈名探偵キャサリン傑作集〉
山村美紗　京都不倫旅行殺人事件
山村美紗　京友禅の秘密
山村美紗　京都・十二単衣《じゅうにひとえ》殺人事件
山村美紗　燃えた花嫁
山村美紗　千利休・謎の殺人事件
山田正紀　長靴をはいた犬〈神性探偵・佐伯神一郎〉
山田詠美　ハーレムワールド
山田詠美　セイフティボックス
山田詠美　晩年の子供
山田詠美　熱血ポンちゃんが行く！
山田詠美　再び熱血ポンちゃんが行く！
山田詠美　誰がために熱血ポンちゃんは行く！
山田詠美　嵐ヶ熱血ポンちゃん！
山田詠美　路傍の熱血ポンちゃん！
山田詠美　熱血ポンちゃんは二度ベルを鳴らす
山田詠美　熱血ポンちゃんが来りて笛を吹く
山田詠美　日はまた熱血ポンちゃん
山田詠美　A《エイ》2《トゥ》Z《ズィ》
山田詠美・ピーコ　ファッション　ファッショ
山田詠美・ピーコ　ファッション　ファッショ〈マインド編〉
柳家小三治　ま・く・ら
柳家小三治　もひとつま・く・ら
柳家小三治　バ・イ・ク
山口雅也　ミステリーズ《完全版》
山口雅也　垂里冴子のお見合いと推理
山口雅也　続・垂里冴子のお見合いと推理
山口雅也　マニアックス
山口雅也　13人目の探偵士
山口雅也　奇偶(上)(下)
山本ふみこ　元気がでるふだんのごはん
山本一力　深川黄表紙掛取り帖
山本一力　ワシントンハイツの旋風《かぜ》
山根基世　ことばで「私」を育てる
山崎光夫　東京検死官〈三千の変死体と語った男〉
椰月美智子　十二歳
八幡和郎・八幡衣代　『篤姫』と島津・徳川の五百年 日本でいちばん長く成功した二つの家の物語
柳広司　ザビエルの首
薬丸岳　天使のナイフ
矢野龍王　極限推理コロシアム
柳美里　家族シネマ
吉村昭　赤い人
吉村昭　海も暮れきる
吉村昭　間宮林蔵
吉村昭　白い航跡(上)(下)
吉村昭　新装版 日本医家伝
吉村昭　私の好きな悪い癖
吉村昭　吉村昭の平家物語
吉村昭　暁の旅人

2009年6月15日現在